Colette Samson

Janie Z. 5SE

Amis 1 et compagnie

Cahier d'activités

Avec portfolio et tests

www.cle-inter.com

Bonjour !

Livre page 2

1 Écris ton premier message à un(e) camarade et envoie-lui !

- ça va (bien)
- ça va mal
- ça ne va pas

Bonjour .... !

Ça va ? Moi, ça ....

Au revoir !

....

De :

À :

2 Regarde et complète les bulles !

3 Décode les messages et écris-les !

1 UA VREIRO

.... !

2 ONUBROJ

.... !

3 NAPROD

.... !

Ajoute des « , », un « ? », un « ! » et un « . » !

bonjourmadameçavaouiçavabienmerciaurevoir

....

....

 ISBN : 9782090354911

Introduction 2

1 Écris les noms sous les portraits !

Livre pages 2-3

d'Artagnan	Aramis	Athos	Constance	Porthos	Milady

1 ....
2 ....
3 ....
4 ....
5 ....
6 ....

2 Remets le dialogue dans l'ordre !

A Ça s'écrit comment ?
B Je m'appelle Zoé.
C Bonjour, ça va ?
D Ça s'écrit avec un Z !
E Comment tu t'appelles ?
F Oui, ça va, merci.

1 ....
2 ....
3 ....
4 ....
5 ....
6 ....

3 Coche la bonne phrase !

☐ **1** Je m'appelle Théo.
☐ **2** Il s'appelle Agathe.
☐ **3** Elle s'appelle Max.

☐ **1** Je m'appelle Léa.
☐ **2** Elle s'appelle Théo.
☐ **3** Il s'appelle Max.

☐ **1** Il s'appelle Léa.
☐ **2** Elle s'appelle Agathe.
☐ **3** Je m'appelle Max.

☐ **1** Il s'appelle Théo.
☐ **2** Elle s'appelle Léa.
☐ **3** Je m'appelle Agathe.

Introduction 3

1 Entoure les mots français ! Il y en a combien ?

Livre page 4

crystal thé Pirat mousquetaire salata
cocodrilo hôtel butik
crème chocolate Roboter ami

2 Relie le mot à la bonne image !

menu quiche croissant crêpe café salade crème caramel

3 Fais des recherches et écris six autres mots d'origine française utilisés dans ta langue !

1 ....
2 ....
3 ....
4 ....
5 ....
6 ....

4 Masculin ou féminin ? Coche la bonne case !

taxi	☐ masculin	☐ féminin
parfum	☐ masculin	☐ féminin
boutique	☐ masculin	☐ féminin
hôtel	☐ masculin	☐ féminin
quiche	☐ masculin	☐ féminin
crêpe	☐ masculin	☐ féminin

5 Retrouve des mots de la page 4 du livre et écris-les !

térom ....

mécani ....

lochatoc ....

narseuttar ....

Les lettres sont en désordre. Aide-moi !

Introduction 4

1 Relie les mots aux numéros !

Livre page 5

un	deux	trois	quatre	cinq	six	sept	huit	neuf	dix

onze	douze	treize	quatorze	quinze	seize	dix-sept	dix-huit	dix-neuf	vingt

2 Complète les séries de nombres !

a	....	onze	....	sept	cinq	trois
b	....	quatre	sept	dix	sept	....
c	vingt	dix-sept	quatorze	....	....	cinq
d	huit	dix	....	quatorze	....	dix-huit
e	....	dix-neuf	dix-sept	....	dix	cinq
f	deux	six	....	quatorze	....	vingt-deux

3 Vrai (V) ou faux (F) ?

1 *d'Artagnan*, ça s'écrit D minuscule, A majuscule, R, T, A, G, N, A, N. ☐ V ☐ F

2 *crêpe*, ça s'écrit C minuscule, R, E accent grave, P, E. ☐ V ☐ F

3 *télévision*, ça s'écrit T minuscule, E accent aigu, L, E accent aigu, V, I, S, I , O, N. ☐ V ☐ F

4 *croissant*, ça s'écrit C minuscule, R, O, I, deux S, A, N, T. ☐ V ☐ F

5 *français*, ça s'écrit F minuscule, R, A, N, C cédille, A, I, S. ☐ V ☐ F

6 *t'appelles*, ça s'écrit T minuscule, apostrophe, A, deux P, E, deux L, E, S. ☐ V ☐ F

Mes affaires

Livre pages 6-7

1 Complète selon le modèle !

un baladeur	un crayon	un dessin	un feutre	une gomme	un livre
une photo	un portable	une règle	~~un sac~~	un stylo-bille	une trousse

2 Qu'est-ce que c'est ? Écris les mots !

1 

un baladeur

2 

....

3 

....

3 

....

4 

....

5 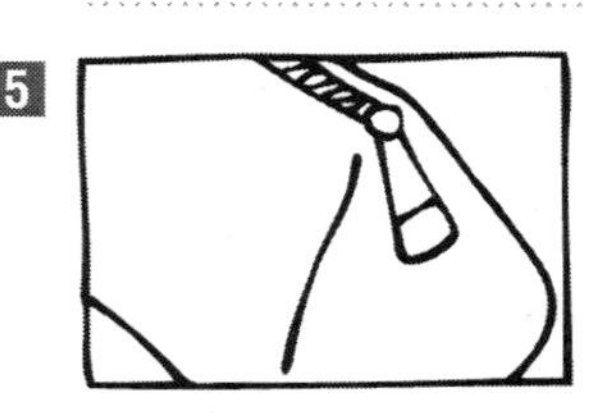

....

3 Complète et envoie ce message à un(e) camarade ou à ton (ta) correspondant(e) !

Bon.......................... !

Je m'ap.............................. ....

Et toi, com.................... tu t'.............................. ?

Ç........ .... ? Moi, ça va !

Au r.......................... !

....

De :

À :

1 Écris les nombres de 1 à 16 !

Livre page 8

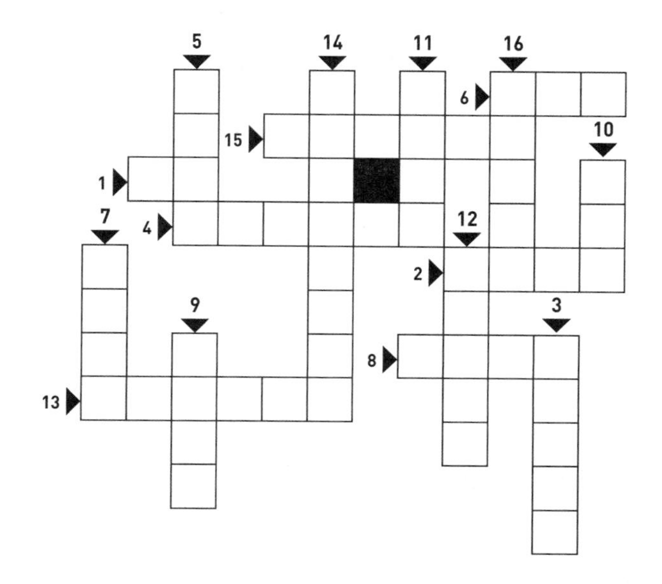

2 Le verbe *être* → Écris et complète le tableau !

1 Toi, tu .... qui ?
2 Moi, je .... Astérix.
3 Et toi, tu es .... ?
4 ...., je suis Obélix !
5 Vous .... amis ?
6 Oui, nous .... amis !

je	nous ....
tu	vous ....
il / elle est	ils / elles sont

3 Les pronoms toniques ou accentués → Écris les bulles !

C'est qui — C'est moi — C'est toi — c'est lui — C'est elle — Non, c'est moi

1 Écris à chaque fois la bonne question ! Choisis entre *C'est qui ?* (ou *Qui est-ce ?*) et *Qu'est-ce que c'est ?*

Livre page 9

1 .... ?
– C'est Harry Potter.
2 .... ?
– C'est une photo.
3 .... ?
– C'est mon sac.
4 .... ?
– C'est Agathe.
5 .... ?
– C'est mon baladeur.
6 .... ?
– C'est Cléopâtre.

2 Lis les phrases à voix haute !

Ta voix descend ↘ si c'est une affirmation (.). Elle monte ↗ si c'est une question (?).

Tu t'appelles comment ? – Je m'appelle Zoé.

Ça va ? – Ça va.

C'est un sac ? – Oui, c'est mon sac.

Et ça, c'est une trousse ? – Oui, c'est ma trousse.

Elle est super ? – Oui, elle est pas mal.

C'est un stylo ? – Non, c'est un feutre.

3 Complète avec *C'est, Il est* ou *Elle est* !

.... Tarzan. .... super !
.... King Kong. .... génial !
Morgane ? .... très bien ! .... une fée.
.... Mary Poppins. .... super !
Dracula : .... nul ! .... un vampire.
.... Hermione. .... pas mal !

4 Donne ton avis sur des personnages de BD, de contes ou de légendes que tu connais !

nul / nulle	pas mal	très bien	super	génial / géniale

.... : Il / elle est .... !
.... : Il / elle est .... !
.... : Il / elle est .... !

1 **Recopie la célèbre réplique de d'Artagnan et des Trois Mousquetaires !**

Livre pages 10-11

Tous .... ! .... !

2 **Écris ton blog ! Complète et coche les bonnes cases !**

Nom du blog :

....

Pseudo :

....

Date de création :

....

Dernière mise à jour :

....

Mes amis :

....

....

....

....

....

Mes blogs ou liens préférés :

....

....

....

....

....

....

Colle ici ta photo, ton portrait, un dessin ou une image que tu aimes bien.

Tu peux aussi utiliser un portrait de la fiche 1 ou 3 du guide pédagogique !

Bonjour !

Je m'appelle

....

Ça va ?

C'est moi !

- ☐ C'est ma photo.
- ☐ C'est mon portrait.
- ☐ C'est mon dessin.

Pas mal, non ?

Colle ici la photo ou le portrait de ton ami(e).

Tu peux aussi utiliser un portrait de la fiche 1 ou 3 du guide pédagogique !

☐ C'est mon ami.

Il s'appelle

....

- ☐ Il est super.
- ☐ Il est génial.

☐ C'est mon amie.

Elle s'appelle

....

- ☐ Elle est super.
- ☐ Elle est géniale.

- ☐ Oui, lui et moi, nous sommes amis !
- ☐ Oui, elle et moi, nous sommes amies !

Au revoir !

[Ajouter un commentaire] [... commentaires]

Posté le ... Modifié le ...

Portfolio Fais le point !

(Tu peux demander son aide à ton professeur !)

	☹	😐	☺
A1 Comprendre : Écouter			
Je peux comprendre des consignes simples dans la classe.			
Je peux comprendre des informations simples (salutations, noms d'affaires personnelles ou scolaires, opinions, nombres).			
A1 Comprendre : Lire			
Je peux lire et comprendre des informations simples (salutations, noms d'affaires personnelles ou scolaires, opinions, nombres).			
Je peux comprendre un petit message (courriel, etc.) avec ces informations.			
A1 Parler : Prendre part à une conversation			
Je peux dire comment je m'appelle.			
Je peux épeler mon nom.			
Je peux demander son nom à quelqu'un.			
Je peux dire comment je vais. (*Ça va ; ça ne va pas ; ça va mal*).			
Je peux demander à quelqu'un comment il va.			
Je peux présenter quelqu'un en disant son prénom.			
Je peux demander le nom de quelqu'un d'autre.			
Je peux saluer quelqu'un.			
Je peux m'excuser. (*Pardon !*)			
Je peux prendre congé. (*Au revoir ! Salut !*)			
Je peux identifier quelque chose ou quelqu'un. (*C'est...*)			
Je peux demander à quelqu'un quelque chose. (*Donne-moi...*)			
Je peux demander à quelqu'un de faire quelque chose. (*Pose... ; prends...*)			
Je peux donner mon opinion sur quelqu'un ou sur quelque chose.			
Je peux demander à quelqu'un son opinion. (*C'est bien ? C'est super ?*)			
Je sais compter jusqu'à 20.			
A1 Parler : S'exprimer en continu			
Je peux dire qui je suis et présenter mes amis.			
A1 Écrire			
Je peux recopier sans erreur des mots ou des phrases simples avec des salutations, des noms d'affaires personnelles ou scolaires, etc.			
Je peux écrire un petit message (courriel, carte postale, blog, etc.) utilisant ces mots ou ces phrases.			
A1 Compétences culturelles			
Je peux reconnaître des mots français.			
Je peux citer des prénoms français.			
Je peux citer le nom d'un roman français et de ses personnages.			
Je peux aussi...			

Teste-toi !

Tu sais répondre à ces questions ? 5 points

1 Bonjour, ça va ?

....

2 Comment tu t'appelles ?

....

3 Comment ça s'écrit ?

....

4 C'est qui ? (Qui est-ce ?)

....

....

5 Qu'est-ce que c'est ?

....

....

Tu sais poser les questions correspondantes ? 2 points

1 .... ?

Oui, c'est un sac.

2 .... ?

Non, c'est Constance.

Écris les nombres de 1 à 20 ! 21 points

1	6	11	16 ....
2	7	12	17 ....
3	8	13	18 ....
4	9	14	19 ....
5	10	15	20 ....

et ... **0** ? ....

Tu sais dire ces mots en français ? Écris-les avec *un* ou *une* ! 12 points

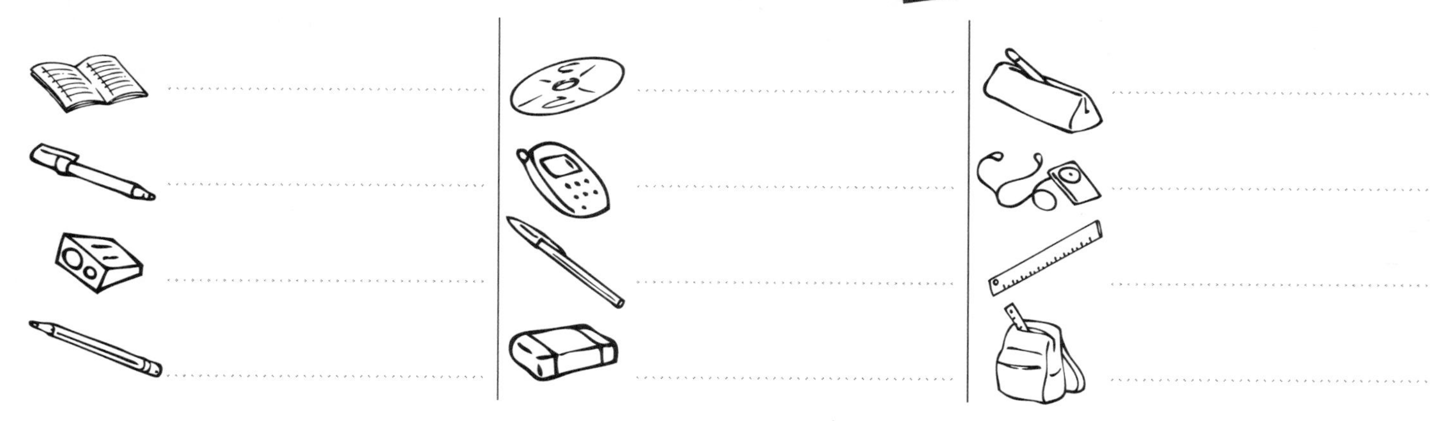

Évalue ton travail !

Ton score : ... / 40

Moi et ma famille

Livre pages 14-15

1 Coche les phrases correctes !

Tu es quel âge ? ☐	J'ai 15 ans. ☐	Non, tu ai 11 ans ! ☐	Elle est 12 ans. ☐
Tu as quel âge ? ☐	J'as 15 ans. ☐	Non, tu as 11 ans ! ☐	Elle ai 12 ans. ☐
Tu ai quel âge ? ☐	Je suis 15 ans. ☐	Non, tu es 11 ans ! ☐	Elle a 12 ans. ☐

2 Complète avec les âges !

1 — 13

Il ....

2 — 30

Elle ....

3 — 14 ans

J' ....

4 — 19 ans

Tu ....

5 — 21

Il ....

6

Elle ....

3 Écris les mois !

j*i**e*	j**v*e*	*ct**re	m*r*
....	....	....	....
a	**cemb**	*u*n	***temb**
....	....	....	....
v*i	*v*i*	**vemb**	a**t
....	....	....	....

4 Écris la date de ton anniversaire !

Mon anniversaire, c'est .... !

1 Le pluriel → Regarde le modèle et écris !

Livre page 16

~~un portable~~ un crayon un feutre une gomme un livre une trousse

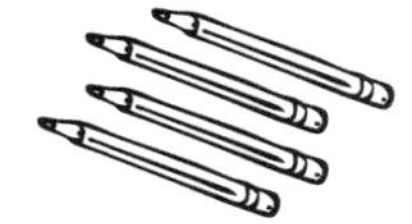

Voici deux portables. ....

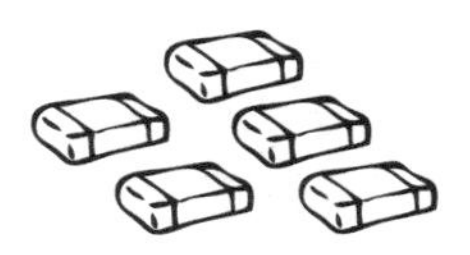

....

2 La négation → Réponds !

1 Tu as un baladeur ? – Non, je ....

2 Tu as un sac ? – Non, je ....

3 Tu as une règle ? – Non, je ....

4 Tu as un taille-crayon ? – Non, je ....

5 Tu as une sœur ? – Non, je ....

3 Complète les phrases !

1 J'ai un frère.

2 J'.. ....

3 J'.. ....

4 Je suis ....

4 Complète et relie les mots aux personnes !

C'est *mon* père. Il s'appelle Antoine. Voilà .... mère. Elle s'appelle Lucie. Lui, c'est .... grand-père et elle, c'est .... grand-mère. .... tante s'appelle Flora et .... oncle ? Il s'appelle Marc.

1 **Regarde et lis le texte ! Vrai (V) ou faux (F) ? Si c'est faux, corrige !**

Livre page 17

Nom : Greg
Âge : 21 ans
Anniversaire : 12 mars
Frères : 2
Sœurs : 0
Animal : hamster

1 Il s'appelle Fred. ☐ V ☐ F ....

2 Il a vingt-trois ans. ☐ V ☐ F ....

3 Son anniversaire, c'est le douze mars. ☐ V ☐ F ....

4 Il a deux frères et une sœur. ☐ V ☐ F ....

5 Il a un hamster. ☐ V ☐ F ....

6 Il a des poissons. ☐ V ☐ F ....

2 **Entoure le « e muet » dans les phrases !**

Voilà ma famille : ma mère, mon père, mon frère, ma tante... Elle a quel âge ? Trente ans ! Et voici ma perruche et ma tortue. Elle s'appelle Falbala et elle a quatorze ans, comme moi ! Mon anniversaire, c'est le trente et un décembre : c'est super !

3 **Le verbe *avoir* → Entoure selon le modèle et complète le tableau !**

j' (je)			tu			il / elle		
(ai)	as	suis	es	a	as	ai	a	est

nous			vous			ils / elles		
ont	sommes	avons	avez	est	êtes	avons	sont	ont

j' ....
tu ....
il / elle ....
nous ....
vous ....
ils / elles ....

4 **Complète avec *C'est* ou *Ce sont*, ajoute *ton, ta* ou *tes* et relie le mot à l'image !**

Ce sont tes chats. C.............................. chien. C.............................. perruches. C.............................. tortue.

C.............................. souris. C.............................. poney. C.............................. lapin. C.............................. poissons.

1 (BD) Je suis qui ? (Qui suis-je ?)

Livre pages 18-19

1 J'ai un cheval. Je suis ....
2 J'ai un chat. Je suis ....
3 Je n'ai pas d'amis. Je suis ....
4 J'ai vingt-trois ans. Je suis ....

2 Écris ton blog ! Complète et coche les bonnes cases !

Nom du blog :
....

Pseudo :
....

Date de création :
....

Dernière mise à jour :
....

Mes amis :
....
....
....
....
....

Mes blogs ou liens préférés :
....
....
....
....
....
....

Colle ici la photo ou le portrait d'un frère ou d'une sœur réels ou… imaginaires.

Tu peux aussi utiliser un portrait de la fiche 3 du guide pédagogique !

Colle ici la photo ou le dessin de ton animal réel ou… imaginaire !

Tu peux aussi utiliser une ou des images de la fiche 4 du guide pédagogique !

Bonjour !
C'est moi !
J'ai .... ans.
Mon anniversaire, c'est ....
....
....

☐ Je suis fils unique.
☐ Je suis fille unique.
☐ J'ai .... frère ..... .
☐ J'ai .... sœur ..... .
☐ Mon frère ☐ Un frère s'appelle
....
☐ Ma sœur ☐ Une sœur s'appelle
....

Son âge ?
☐ Il / elle a ....

☐ Mon père ☐ Ma mère s'appelle
....

☐ Je n'ai pas d'animal.
☐ J'ai un animal.
C'est un(e) ....
☐ J'ai des animaux.
☐ Ce sont des
....

Au revoir !

[Ajouter un commentaire] [... commentaires]

Posté le ... Modifié le ...

(Tu peux demander son aide à ton professeur !)

	☹	😐	☺
A1 Comprendre : Écouter			
Je peux comprendre des consignes simples dans la classe.			
Je peux comprendre des informations simples sur la famille, les animaux domestiques, les mois de l'année, les nombres.			
A1 Comprendre : Lire			
Je peux lire et comprendre des informations simples sur la famille, les animaux domestiques, les mois de l'année, les nombres.			
Je peux comprendre un petit message (courriel, carte postale, etc.) utilisant ces informations.			
A1 Parler : Prendre part à une conversation			
Je peux dire mon âge.			
Je peux demander à quelqu'un son âge.			
Je peux dire la date de mon anniversaire.			
Je peux demander à quelqu'un la date de son anniversaire.			
Je peux souhaiter à quelqu'un un bon anniversaire.			
Je peux présenter mes parents. (*C'est... ; voici... voilà...*)			
Je peux dire si j'ai des frères et des sœurs.			
Je peux demander à quelqu'un s'il a des frères et des sœurs.			
Je peux dire si j'ai un animal domestique.			
Je peux demander à quelqu'un s'il a un animal domestique.			
Je peux présenter quelqu'un en disant comment il s'appelle.			
Je sais compter jusqu'à 39.			
A1 Parler : S'exprimer en continu			
Je peux présenter ma famille.			
Je peux présenter mes amis.			
Je peux présenter mes animaux domestiques.			
A1 Écrire			
Je peux recopier sans erreur des mots ou des phrases simples (noms des membres d'une famille, noms d'animaux, mois de l'année, etc.).			
Je peux écrire un petit message (courriel, carte postale, blog, etc.) utilisant ces mots et ces phrases.			
A1 Compétences culturelles			
Je peux chanter une chanson d'anniversaire en français.			
Je peux citer le nom d'une « star » française, chanteur ou chanteuse, acteur ou actrice, etc.			
Je peux aussi...			

Teste-toi !

Tu sais répondre à ces questions ? **5 points**

1 Tu as quel âge ?

....

2 Ton anniversaire, c'est quand ?

....

....

3 Tu as un frère, une sœur ?

....

4 Tu as un animal ?

....

5 Si oui, qu'est-ce que c'est ?

....

Écris les nombres de 21 à 32 ! **10 points**

21 ....
22 ....
23 ....
24 ....
25 ....
26 ....
27 ....
28 ....
29 ....
30 ....
31 ....
32 ....

Tu sais dire ces mots en français ? Écris-les avec *le* ou *la* ! **15 points**

Évalue ton travail !

Ton score : ... / 30

Mon arbre généalogique (réel ou imaginaire)

1 **Découpe des photos ou des dessins. Tu peux aussi utiliser la fiche photocopiable 3.**

2 **Colle les photos ou les dessins !**

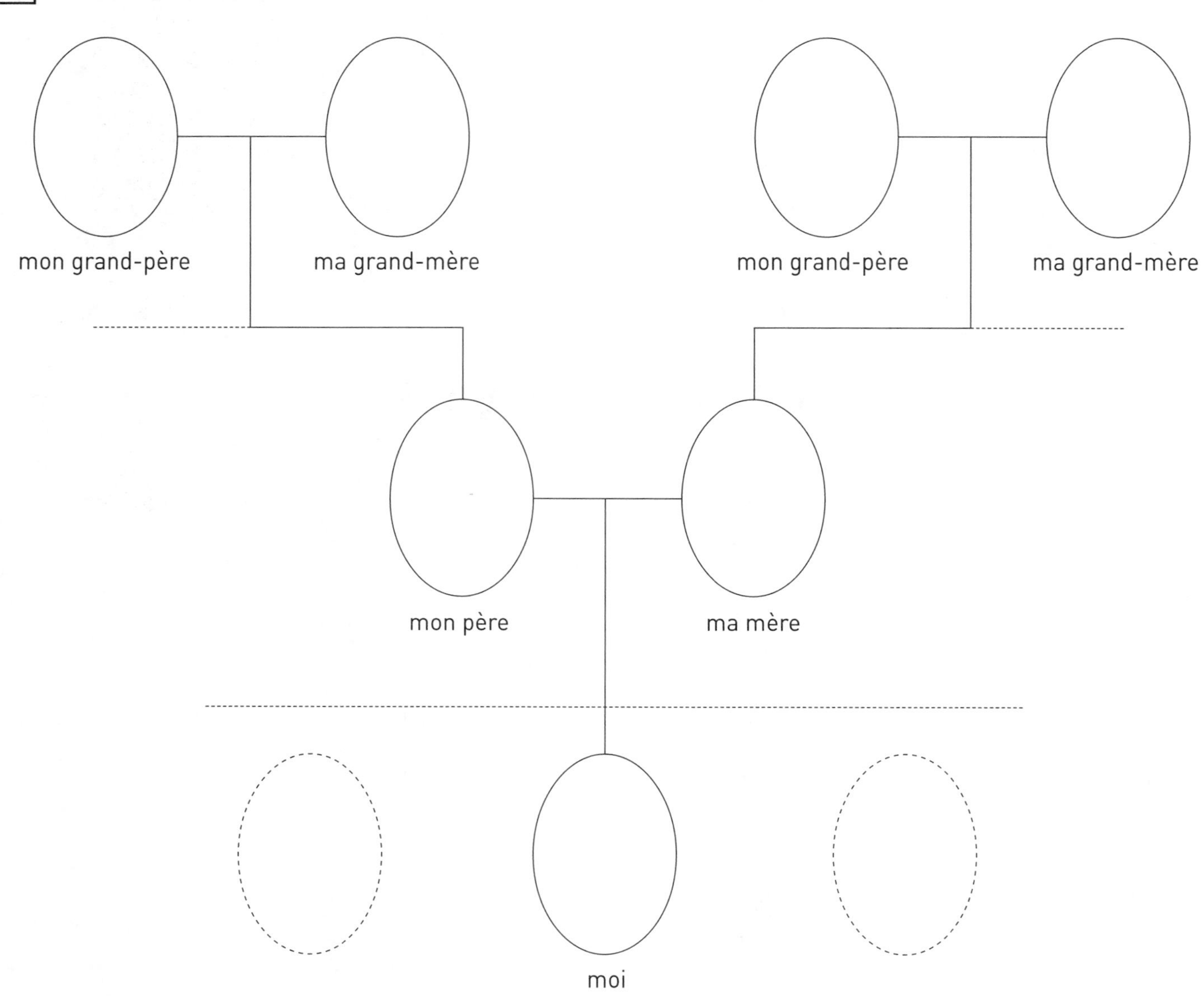

3 **Présente ta famille !**

Exemple : Voilà mon grand-père. Il s'appelle Ted.
Voilà ma mère. Elle s'appelle Milla.
Eva est la mère de Milla, ma mère : c'est ma grand-mère.
J'ai un frère.
Etc.

Ma recherche

1 Fais une recherche sur une famille :

- une famille « historique » : la famille de Louis XIII et d'Anne d'Autriche ou la famille d'Artagnan, etc. ;
- une famille célèbre dans ton pays ;
- une famille imaginaire (film, BD, jeu vidéo) : la famille Addams, la famille Simpson ou la famille de Titeuf, etc.

Louis XIII,
Anne d'Autriche
et leur fils Louis XIV

La famille Simpson

La famille Addams

La famille de Titeuf

2 Découpe des photos, des images.

3 Fabrique l'arbre généalogique de la famille et présente-le !

Le jeu des 7 familles

Découpe des portraits ! Utilise la fiche 3 !

Colle les images sur du papier épais ou du carton !

Écris[1] !

Joue[2] !

1 Tu peux fabriquer 4, 5, 6 ou... 7 familles de cartes ! Il y a 6 cartes par famille : **le grand-père**, **la grand-mère**, **le père**, **la mère**, **le fils**, **la fille** !

2 **Règle du jeu :** De 2 à 6 joueurs. Avec 7 familles, distribuer 7 cartes par joueur. Avec 4 familles, en distribuer 4. Laisser une « pioche ». Le premier joueur demande une carte pour compléter une famille. S'il ne l'obtient pas, il prend la première carte de la pioche. Le gagnant est celui qui a réuni le maximum de familles quand la pioche est épuisée.

Mes goûts

Livre pages 22-23

1 Complète !

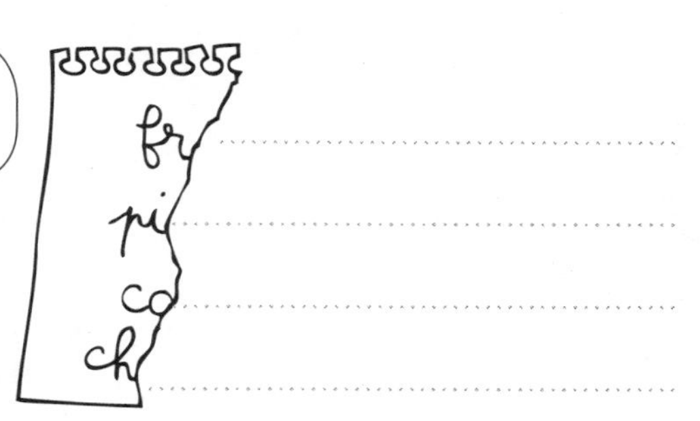

jus ....
sa ....
gl ....
gâ ....

2 L'article partitif → Qu'est-ce qu'il y a pour l'anniversaire de Léa ? Complète et réponds !

1 Il y a du fromage ? Oui, il y a du fromage.
2 Il y a .... pizza ? ....
3 Il y a .... jus d'orange ? ....
4 Il y a .... salade ? ....
5 Il y a .... chips ? ....
6 Il y a .... poisson ? ....
7 Il y a .... glace ? ....
8 Il y a .... sandwichs ? ....

3 Écris !

~~camembert~~ crème caramel crêpe croissant escargots melon nougat olives pain quiche

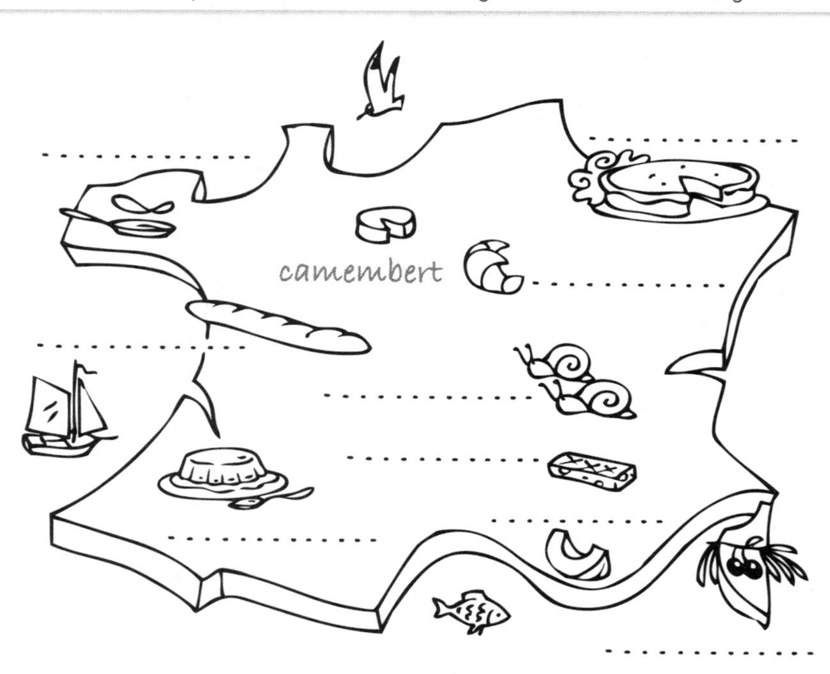

1 Va interviewer tes camarades, puis écris !

Livre page 24

les chips · le coca · le fromage · le gâteau au chocolat · la glace · le jus d'orange · la pizza · le poisson · la salade · les sandwichs

Tu aimes... ? / Prénoms										
....										
....										
....										
....										

.... aime ....

.... aime ....

.... aime ....

.... aime ....

2 Complète !

Regarde aussi dans le livre page 29 !

1 Tu veux .... croissants ? – Oui, j'aime .... croissants !
2 Tu veux .... quiche ? – Non, je n'aime pas .... quiche.
3 Tu veux .... olives? – Oui, j'aime .... olives.
4 Tu veux .... melon ? – Non, je n'aime pas .... melon.
5 Tu veux .... nougat ? – Oui, j'aime .... nougat.
6 Tu veux .... crème caramel ? – Oui, j'aime .... crème caramel.

3 Imagine, dessine et écris !

Constance aime ....
D'Artagnan aime ....

1 **Complète le menu ! En France, on prend une entrée, un plat, un dessert et une boisson !** *Livre page 25*

coca | crème caramel | crêpes | eau | ~~escargots~~ | gâteau (au chocolat) | glace | jus d'orange | jus de pomme | melon | pizza | poisson | poulet | ~~quiche~~ | salade | tomates

RESTAURANT DES AMIS — Menu

ENTRÉES	PLATS	DESSERTS	BOISSONS
Escargots	Quiche	....	....
....	....	....	....
....	....	....	....
....	....	....	....

2 **La conjugaison des verbes en *-er* → Regarde et écris la conjugaison de *aimer* au singulier !**

1 Elle aime les chats !

2 Moi aussi, j'aime les chats !

3 Tu aimes les chats ?

4 Il aime les chats !

J' ....
Tu ....
Il / elle ....

3 **Écris les mots dans la bonne colonne !**

~~crayon~~ | croissant | hamburger | melon | mon | onze | orange | poisson | restaurant | trente

[ɔ̃]	[ɑ̃]
crayon	....
....	....
....	....
....	....
....	....

Entraîne-toi à repérer et à prononcer les nasales [ɔ̃] et [ɑ̃] !

1 Écris les goûts de Porthos !

Livre pages 26-27

Porthos aime ....
.... Il adore ....
Il déteste ....

2 Écris ton blog ! Complète !

Nom du blog :
....

Pseudo :
....

Date de création :
....

Dernière mise à jour :
....

Mes amis :
....
....
....
....
....

Mes blogs ou liens préférés :
....
....
....
....
....
....

Colle ici les photos ou les images qui représentent ce que tu aimes ou ce que tu adores.

Tu peux aussi utiliser des images des fiches 5 et 6 du guide pédagogique !

Mes goûts ?

Pour les aliments et les boissons :

J'aime ....
....
Je n'aime pas ....
....
J'adore ....
....
Je déteste ....
....

Pour les animaux :

J'aime ....
....
Je n'aime pas ....
....
J'adore ....
....
Je déteste ....
....

Et puis aussi :

J'aime ....
Je n'aime pas ....
J'adore ....
Je déteste ....

D'accord ? Pas d'accord ?

[Ajouter un commentaire] [... commentaires]

Posté le ... Modifié le ...

(Tu peux demander son aide à ton professeur !)

	☹	😐	☺
A1 Comprendre : Écouter			
Je peux comprendre des consignes simples dans la classe.			
Je peux comprendre des informations simples sur les aliments et les boissons.			
A1 Comprendre : Lire			
Je peux lire et comprendre des informations simples sur les aliments et les boissons.			
Je peux comprendre un petit message (courriel, carte postale, etc.) utilisant ces informations.			
A1 Parler : Prendre part à une conversation			
Je peux demander à quelqu'un ses goûts.			
Je peux dire ce que j'aime.			
Je peux dire ce que je n'aime pas.			
Je peux dire ce que j'adore.			
Je peux dire ce que je déteste.			
Je peux demander à quelqu'un ce qu'il veut.			
Je peux dire ce que je veux.			
Je peux demander à quelqu'un d'identifier, de repérer quelque chose.			
Je peux identifier, repérer quelque chose. (*Il y a*…)			
Je peux accepter poliment quelque chose. (*Je veux bien, merci.*)			
Je peux refuser poliment quelque chose. (*Non, merci.*)			
Je peux chercher un mot. (*Euh*…)			
A1 Parler : S'exprimer en continu			
Je peux présenter et décrire mes goûts.			
A1 Écrire			
Je peux recopier sans erreur des mots ou des phrases simples comportant des noms d'aliments, de boissons, etc.			
Je peux écrire un petit message (courriel, carte postale, blog, etc.) utilisant ces mots ou ces phrases.			
A1 Compétences culturelles			
Je peux citer des spécialités ou des produits français.			
Je peux décrire un « repas typique » en France (entrée, plat, fromage et/ou dessert) accompagné de pain et d'une boisson.			
Je peux aussi…			

Teste-toi !

Tu sais répondre à ces questions ? 6 points

1 Qu'est-ce que tu aimes ?

2 Qu'est-ce que tu n'aimes pas ?

3 Qu'est-ce que tu adores ?

4 Qu'est-ce que tu détestes ?

5 Qu'est-ce qu'il y a à manger pour ta fête d'anniversaire ?

6 Qu'est-ce qu'il y a à boire ?

Tu sais dire ces mots en français ? Écris-les avec *le, l'* ou *la* ! 24 points

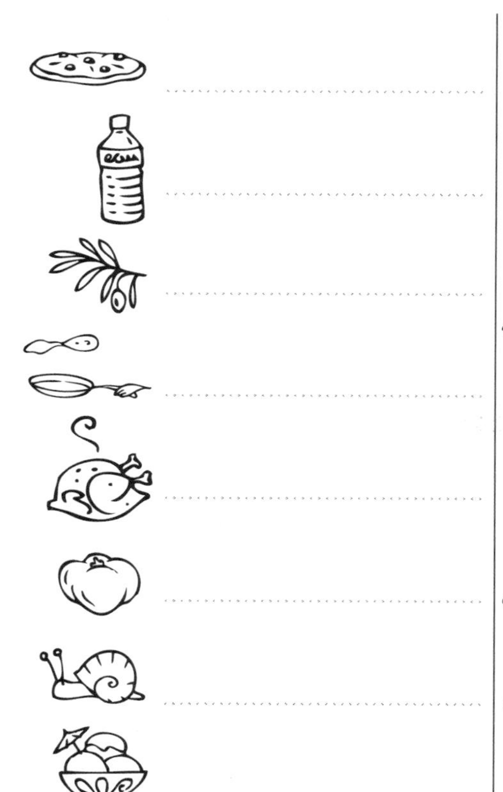

Évalue ton travail !

Pas mal !

Ton score : ... / 30

Mes passe-temps

Livre pages 32-33

1 **Écris !**

dessiner — écouter de la musique — faire des photos — jouer à l'ordinateur — regarder la télé — travailler

1 2 3 4 5 6

Voici mes photos ! Qu'est-ce qu'elle dit, Pauline ?

1 Je ....
2 ....
3 ....
4 ....
5 ....
6 ....

2 **Le pronom *on* → Regarde l'exemple et complète !**

Exemple : (dessiner) → *Toi et moi, on dessine.*

1 (travailler) → ....
2 (regarder la télé) → ....
3 (aimer le chocolat) → ....
4 (avoir un chat) → ....
5 (adorer le cinéma) → ....
6 (écouter de la musique) → ....

3 **Regarde le livre pages 24, 32 et 33 puis complète les conjugaisons !**

vouloir	faire	travailler
je	je	je ....
tu	tu	tu ....
il / elle / on *veut*	il / elle / on	il / elle / on ....

1 **Qu'est-ce qu'il fait ? Qu'est-ce qu'elle fait ? Complète et associe !**

Livre page 34

Il fait *du* sport. Elle fait .... cheval. Il fait .... moto. Il fait .... jogging. Elle fait .... judo.

Elle fait .... ski. Elle fait .... planche à voile. Il fait .... vélo. Il fait .... roller.

2 **Donne ton avis ! Puis compare avec ton voisin ou ta voisine !**

:-(	:-[	:-|	:-)	:-D	8-D
C'est nul !	Bof !	C'est pas mal !	C'est très bien !	C'est super !	C'est génial !!

Exemple : *Faire du sport* : c'est très bien !

1 .... : c'est nul !
2 .... : bof !
3 .... : c'est pas mal !
4 .... : c'est très bien !
5 .... : c'est super !
6 .... : c'est génial !

3 **Complète !**

1 Tu as .... baladeur ? – Non, je n'ai pas .... baladeur.
2 Tu fais .... photos ? – Non, je déteste .... photos.
3 Tu fais .... vélo ? – Non, je fais .... moto.
4 Tu fais .... planche à voile ? – Non, je fais .... cheval.
5 Tu aimes .... animaux ? – Oui, j'ai .... chien.
6 Tu fais .... français ? – Oui, j'adore .... français !

1 **Qu'est-ce que tu préfères ? Réponds ! Puis compare avec ton voisin ou ta voisine !** *Livre page 35*

Exemple : Tu préfères la soupe ou la glace ? – *Je préfère la glace.*

1 Tu préfères les pommes ou les bananes ? – ....
2 Tu préfères les tomates ou la salade ? – ....
3 Tu préfères le poisson ou le poulet ? – ....
4 Tu préfères le jus d'orange ou le coca ? – ....
5 Tu préfères les gâteaux ou les sandwichs ? – ....
6 Tu préfères regarder la télévision ou faire du sport ? – ....
....
7 Tu préfères écouter de la musique ou surfer sur Internet ? – ....
....
8 Tu préfères travailler ou jouer ? – ....

2 **Complète !**

Mon frère joue .... football, mais il fait aussi .... jogging et .... natation. Moi, je fais .... judo et je joue .... badminton. Ma sœur, elle joue .... volley-ball et .... tennis et elle fait .... planche à voile. Nous sommes des sportifs!

3 **Les sons [z] et [s]**

C'est mon anniversaire. – Il y a du tennis à la télévision. – Je fais la cuisine et je dessine. – J'aime le sport et la musique. – Dans ma trousse, j'ai sept stylos et douze crayons. – Tu aimes le poisson, la salade, la soupe, les olives ? – J'adore mes amis, le cinéma et les animaux !

4 **Va interviewer tes camarades !**

Quel(le) est ... / Prénoms	... ta nourriture préférée ?	... ton passe-temps préféré ?	... ton sport préféré ?
....	le (la, les)	....	....
....	le (la, les)	....	....
....	le (la, les)	....	....

1 **Choisis un personnage dans la BD des *Trois Mousquetaires* page 36 ou 37 et recopie ses passe-temps préférés !**

Livre pages 36-37

Moi, ..., j..

.... !

2 **Écris ton blog ! Coche les bonnes cases et complète !**

Nom du blog :

....

Pseudo :

....

Date de création :

....

Dernière mise à jour :

....

Mes amis :

....

....

....

....

....

Mes blogs ou liens préférés :

....

....

....

....

....

....

Colle ici les photos ou les images qui représentent tes passe-temps ou tes sports préférés.

Tu peux aussi utiliser des images des fiches 7 et 8 du guide pédagogique !

Bonjour !

Voici mes passe-temps et mes sports préférés :

- ☐ dessiner
- ☐ écouter de la musique
- ☐ jouer à l'ordinateur
- ☐ faire des photos
- ☐ jouer aux cartes
- ☐ regarder la télévision
- ☐ travailler
- ☐ surfer sur Internet
- ☐ faire la cuisine
- ☐ jouer de la musique
- ☐ faire du vélo
- ☐ faire du roller
- ☐ faire du sport :

jouer au ....

....

faire du (de la) ....

....

Et aussi :

- ☐ ....
- ☐ ....

Et toi ? Quels sont tes passe-temps et tes sports préférés ?

[Ajouter un commentaire] [... commentaires]

Posté le ... Modifié le ...

(Tu peux demander son aide à ton professeur !)

	☹	😐	☺
A1 Comprendre : Écouter			
Je peux comprendre des consignes simples dans la classe.			
Je peux comprendre des informations simples sur les passe-temps et les sports.			
A1 Comprendre : Lire			
Je peux lire et comprendre des informations simples sur les passe-temps et les sports.			
Je peux comprendre un petit message (courriel, carte postale, etc.) utilisant ces informations.			
A1 Parler : Prendre part à une conversation			
Je peux demander à quelqu'un ce qu'il fait.			
Je peux dire à quelqu'un ce que je fais.			
Je peux dire ce que j'aime faire.			
Je peux dire ce que j'adore faire.			
Je peux dire ce que je déteste faire.			
Je peux dire ce que je préfère faire.			
Je peux demander à quelqu'un ce qu'il aime, adore, déteste ou préfère faire.			
Je peux exprimer ma surprise. (*Ça alors !*)			
Je peux exprimer mon accord. (*Oui, c'est ça.*)			
Je peux exprimer mes goûts ou mon opinion. (*C'est nul, pas mal, bien, très bien, super, génial ! Bof !*)			
A1 Parler : S'exprimer en continu			
Je peux expliquer quels sont mes passe-temps ou mes sports préférés ou ceux que je n'aime pas.			
A1 Écrire			
Je peux recopier sans erreur des mots ou des phrases simples (noms de passe-temps et de sports, etc.).			
Je peux écrire un petit message (courriel, carte postale, blog, etc.) utilisant ces mots et ces phrases.			
A1 Compétences culturelles			
Je peux dire quels sports ou quelles activités on peut pratiquer en France.			
Je peux aussi...			

Teste-toi !

Tu sais répondre à ces questions ? 6 points

1 Quel est ton animal préféré ?

....

2 Quelle est ta nourriture préférée ?

....

3 Quel est ton passe-temps préféré ?

....

4 Quel est ton sport préféré ?

....

5 Qu'est-ce que tu n'aimes pas faire ?

....

6 Qu'est-ce que tu détestes faire ?

....

Tu connais ces activités ou ces sports en français ? 24 points

Évalue ton travail !

Ton score : ... / 30

Le jeu des préférences

Découpe les images des fiches photocopiables 5, 6, 7 et 8 !

Colle les images sur du papier épais ou du carton !

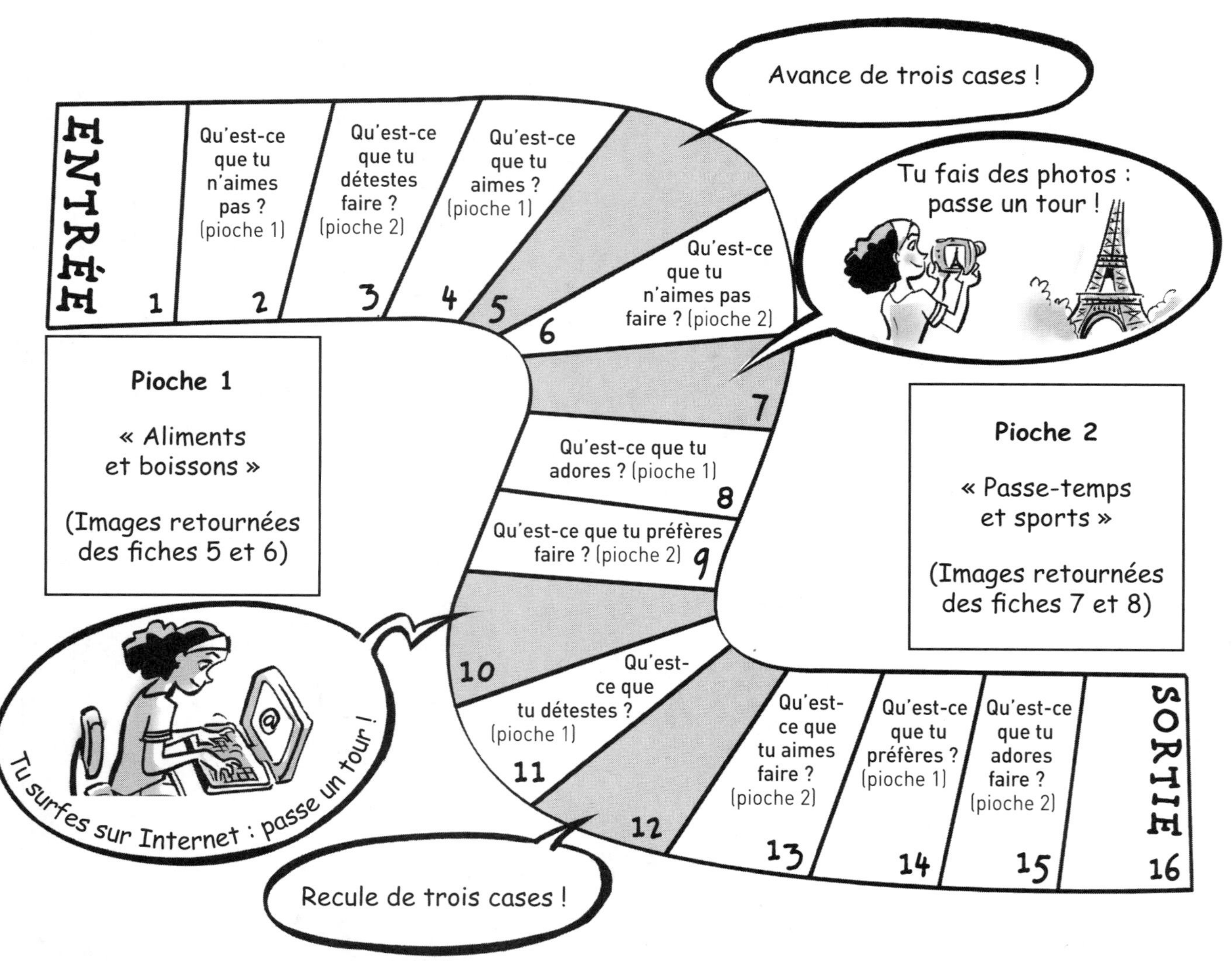

* **Règle du jeu :** Prévoir un pion par joueur et un dé par équipe. Chaque joueur lance le dé et avance son pion d'autant de cases qu'il a obtenu de points. Arrivé sur une case « question », il prend une carte dans la pioche « Passe-temps et sports » ou dans la pioche « Aliments et boissons » : il doit répondre sous le contrôle de l'autre ou des autres joueurs pour pouvoir continuer. Le vainqueur est celui qui arrive le premier sur la dernière case.

1 **Fais une recherche sur des spécialités gastronomiques françaises ! Utilise par exemple le site Wikipédia : http://fr.wikipedia.org/wiki.** Tu peux aussi changer l'adresse en remplaçant à chaque fois *fr.* par *da., de., el., en., es., su., it., nl., no., pl., pt., ru., sv., tr.*, etc. qui correspond peut-être mieux à la langue ou aux langues parlée(s) dans ton pays !

– Fais une recherche sur le *croissant* : http:// fr.wikipedia.org/wiki/Croissant
– … ou sur la *crêpe* : http:// fr.wikipedia.org/wiki/Crepe
– … ou sur la *quiche lorraine* : http:// fr.wikipedia.org/wiki/Quiche_lorraine
– … ou sur la *baguette* (de pain) : http:// fr.wikipedia.org/wiki/Baguette
– … ou sur le *camembert* : http:// fr.wikipedia.org/wiki/Camembert_de_Normandie.
Tu peux aller aussi sur les sites www.camembert-france.com ou www.camembert-country.com

2 **Puis renseigne les « cartes d'identité » et ajoute des dessins ou des photos !**

Carte d'identité — Photo
Nom : baguette
Pays, région ou ville d'origine : France, Paris
Date (ou siècle) de naissance : vers 1920

Carte d'identité — Photo
Nom : ……………………
Pays, région ou ville d'origine : ……………………
……………………
Date (ou siècle) de naissance : ……………………

Carte d'identité — Photo
Nom : ……………………
Pays, région ou ville d'origine : ……………………
……………………
Date (ou siècle) de naissance : ……………………

Carte d'identité — Photo
Nom : ……………………
Pays, région ou ville d'origine : ……………………
……………………
Date (ou siècle) de naissance : ……………………

3 **Présente les spécialités !**

Exemple : Voici le (la) … . Il (elle) vient de … . Sa date d'anniversaire (sa date de naissance) c'est … .
(Si tu le souhaites, présente dans ta langue maternelle les autres informations que tu as trouvées.)

4 **Trouve la recette des crêpes (par exemple dans *Wikipédia*)** en français ou dans une autre langue que tu comprends. **Prépare la recette pour tes amis ou ta famille… Bon appétit !**

Ma ville

Livre pages 40-41

1 Relie les nombres aux mots !

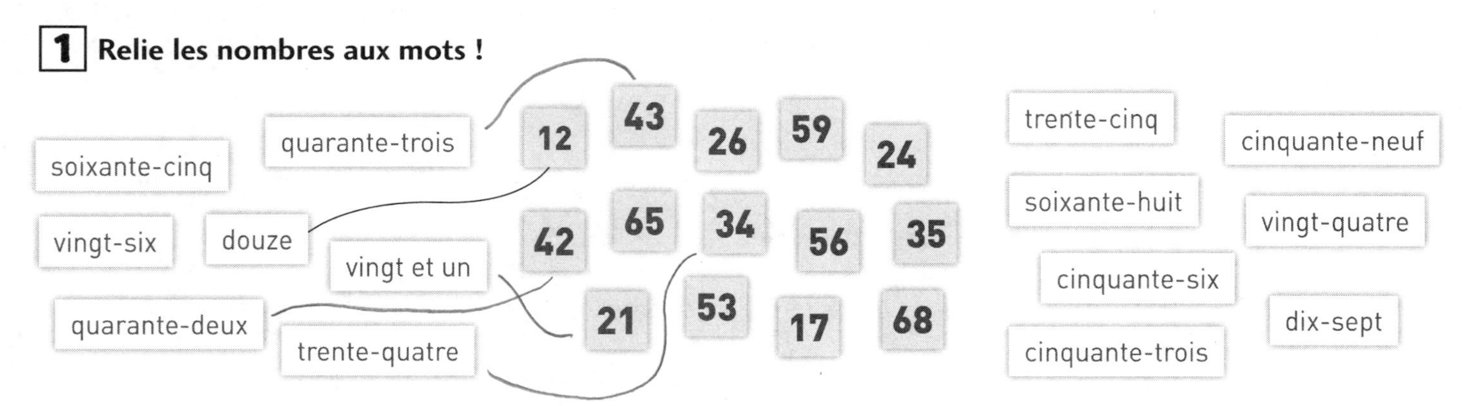

2 Écris !

~~le Sacré-Cœur~~ le jardin du Luxembourg l'Arc de triomphe le musée du Louvre Notre-Dame de Paris la tour Eiffel

1 

le Sacré-Cœur

2 

....

3 

....

4 ....

5 ....

6 

....

3 Complète par *à, à l', à la, au* ou *en* !

Tu as vu mes photos ? Maintenant, complète les phrases !

1 Tu vas ....au.... musée du Louvre ....en.... taxi ?
2 Moi, je voudrais aller ....à....l'Arc de triomphe ....en.... bus.
3 Hugo veut aller ....au.... jardin du Luxembourg ....à.... pied !
4 Aller ....à.... Notre-Dame .... métro, c'est pratique, non ?
5 Visiter Paris .... vélo ou .... moto, c'est aussi très bien.
6 Juliette prend le bateau-mouche pour aller ....à la.... tour Eiffel : .... bateau, c'est super !

4 Complète les questions avec *qui, comment, où, est-ce que* ou *qu'est-ce que* !

1 .... est l'Arc de triomphe ? C'est ici ?
2 C'est .... ? C'est toi, Hugo ?
3 .... tu prends le taxi ou le bus ?
4 .... tu regardes ? Le bateau ?
5 .... tu appelles le musée ?
6 .... tu aimes faire à Paris ?

1 Le *vous* de politesse → Regarde les questions A et complète les questions B !

Livre page 42

A

Bonjour ! Tu fais des photos ?

Tu aimes la tour Eiffel ?

Oh... tu as un baladeur ?

Tu écoutes de la musique ?

Euh... Tu veux un CD de chansons sur Paris ?

PARIS

B

Bonjour, monsieur ! Vous faites des photos ?

....?

....?

....?

Euh... Vous voulez ....?

PARIS

2 Numérote les images !

1 la boulangerie – **2** le cinéma – **3** le collège – **4** l'épicerie – **5** la gare – **6** l'hôpital – **7** le musée – **8** le parc – **9** la piscine – **10** la poissonnerie – **11** la poste – **12** le stade – **13** le supermarché – **14** le zoo

3 Lis le dialogue et complète les conjugaisons !

– Tu vas où ? – Je vais au parc. – Tu aimes le parc ? – Euh... j'aime le jogging ! – Ton chien aussi y va ? – Oui, nous allons faire du jogging tous les deux ! Mais on prend d'abord le bus... – Vous prenez le bus ! Vous n'allez pas à pied ? Alors, vous n'aimez pas marcher ?
– Si, nous aimons marcher, bien sûr. Mais nous prenons le bus 27, c'est pratique. Tu prends le bus avec nous ? – Je prends mon vélo, d'accord ? – Toi et moi, on aime le sport !

aimer	aller	prendre
j'................	je	je ....
tu	tu	tu ....
il / elle / on	il / elle / on	il / elle / on ....
nous	nous	nous ....
vous	vous	vous ....
ils / elles aiment	ils / elles vont	ils / elles prennent

1 **Lis et dessine ton itinéraire ! Puis écris deux autres itinéraires pour ton voisin ou ta voisine !**

Livre page 43

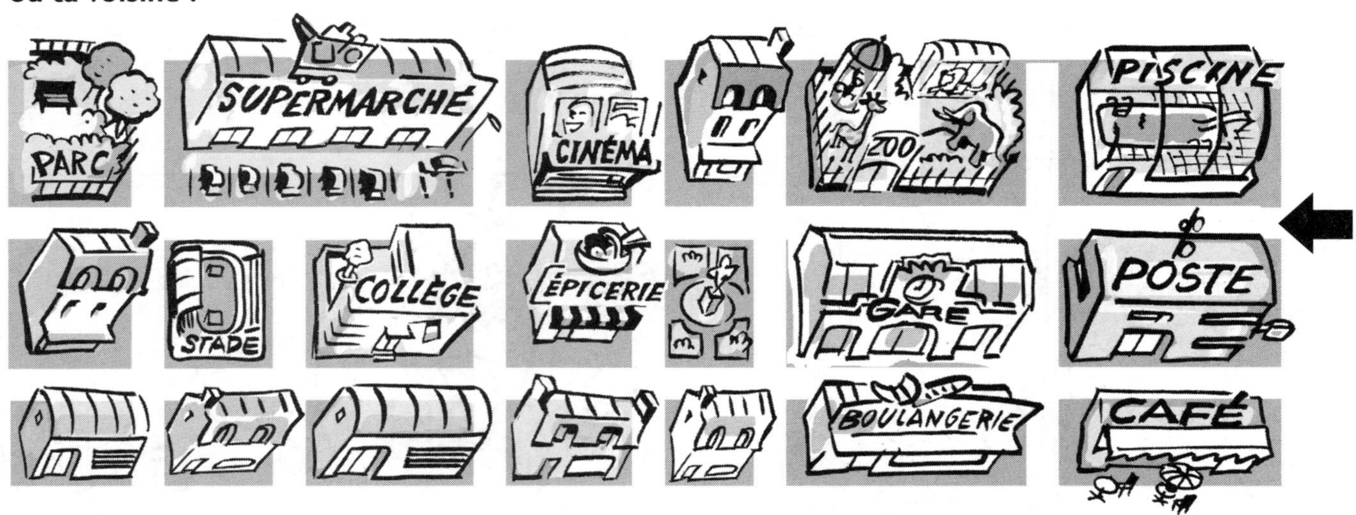

Va tout droit ! Tourne à gauche après la gare. Puis tourne à droite ! Traverse trois rues. Va tout droit jusqu'au collège ! Tourne à droite ! Tourne à gauche devant le supermarché et va jusqu'au parc !

2 **Les sons [b] et [p] → Lis les phrases à voix haute !**

Tu prends le bateau ?
Je vais en bus à la piscine.
Il va à pied à la boulangerie.
La boulangerie et la poissonnerie sont après le pont.
Je prends du pain, des bananes, des pommes et du poisson.
Elle joue au badminton, au basket et au ping-pong !
Tu préfères ton baladeur ou ton portable ?

3 **Écris et envoie un message à un(e) correspondant(e) ou un(e) camarade !**

De :
À :

Bonjour .... !
J'habite à ...., (rue) ...., au numéro ....
J'habite à côté d'un(e) .... Derrière (Devant) chez moi, il y a aussi un(e) .... J'aime aller au (à l', à la) (1) ....
et (2) ....
J'aime aussi (2) ....
Et toi, qu'est-ce que tu aimes faire dans ta ville (ton village, ton quartier) ?
Au revoir !
....

(1) nom d'un bâtiment, d'un commerce de ta ville (de ton quartier), etc.
(2) faire du (de la) ..., jouer au (à l', à la, aux) ..., regarder ..., écouter ..., travailler, etc.

1 **Écris « la liste de course » de Constance !**

Livre pages 44-45

Du p............ et des g........................ à la b.............................. . Du p................. à la p................................ .
De la s....................... et des o....................... à l'é........................ .

2 **Écris ton blog ! Entoure les mots qui conviennent, dessine et coche les bonnes cases !**

Nom du blog :
....

Pseudo :
....

Date de création :
....

Dernière mise à jour :
....

Mes amis :
....
....
....
....
....

Mes blogs ou liens préférés :
....
....
....
....
....
....

Colle ici les photos ou les images qui représentent ta ville, ton village, ton quartier… réel(e) ou imaginaire !

Tu peux aussi utiliser des images de la fiche 11 du guide pédagogique !

Bonjour !

Dans ma ville (mon village, mon quartier), il y a :

une boulangerie – un café
un cinéma – un collège
une épicerie – une gare
un hôpital – un musée – un parc
une piscine – une poissonnerie
une poste – un stade
un supermarché – un zoo
un(e) ....

Voici le plan de mon quartier :

Je vais au collège (au lycée, à l'école)

☐ à pied ☐ en voiture
☐ à vélo ☐ en bus
☐ en métro ☐ ....

☐ J'adore !
☐ Je n'aime pas !
☐ Je déteste !
☐ Bof !
☐ Je préfère ....

[Ajouter un commentaire] [... commentaires]

Posté le ... Modifié le ...

Portfolio

Fais le point !

(Tu peux demander son aide à ton professeur !)

	☹	😐	☺
A1 Comprendre : Écouter			
Je peux comprendre des consignes simples dans la classe.			
Je peux comprendre des informations simples sur les moyens de transport, les bâtiments d'une ville et les monuments de Paris.			
A1 Comprendre : Lire			
Je peux lire et comprendre des informations simples sur les moyens de transport, les bâtiments d'une ville et les monuments de Paris.			
Je peux comprendre un petit message (courriel, carte postale, etc.) utilisant ces informations.			
A1 Parler : Prendre part à une conversation			
Je peux demander à quelqu'un où il habite.			
Je peux dire à quelqu'un où j'habite.			
Je peux demander une direction à quelqu'un.			
Je peux indiquer une direction à quelqu'un.			
Je peux situer, localiser. (*à côté de, devant, derrière, dans, entre*, etc.)			
Je peux exprimer une demande polie. (*Je voudrais... s'il vous plaît.*)			
Je peux exprimer mon accord. (*D'accord !*)			
Je sais compter jusqu'à 69.			
A1 Parler : S'exprimer en continu			
Je peux décrire les bâtiments et commerces de ma ville, de mon village, de mon quartier.			
Je peux expliquer quel moyen de transport j'utilise pour aller au collège (au lycée, à l'école).			
A1 Écrire			
Je peux recopier sans erreur des mots ou des phrases simples (noms de moyens de transport, de bâtiments d'une ville, de monuments de Paris).			
Je peux écrire un petit message (courriel, carte postale, blog, etc.) utilisant ces mots et ces phrases.			
A1 Compétences culturelles			
Je peux citer le nom de plusieurs monuments de Paris.			
Je peux situer ces monuments sur un plan de Paris.			
Je peux chanter des chansons sur Paris.			
Je peux reconnaître les caractéristiques de certains commerces ou services en France, comme celles d'une boulangerie ou d'une poste.			

Je peux aussi...			

Teste-toi !

Tu sais poser les questions correspondantes ? **6 points**

1 .... ?
J'habite à Paris.

2 .... ?
Le musée est à côté du jardin du Luxembourg.

3 .... ?
Je vais au collège à vélo.

4 .... ?
Je préfère le bus.

5 .... ?
Je regarde le bateau-mouche sur la Seine.

6 .... ?
Dans ma ville, il y a un zoo.

Tu connais ces moyens de transport et ces bâtiments ou commerces en français ? **24 points**

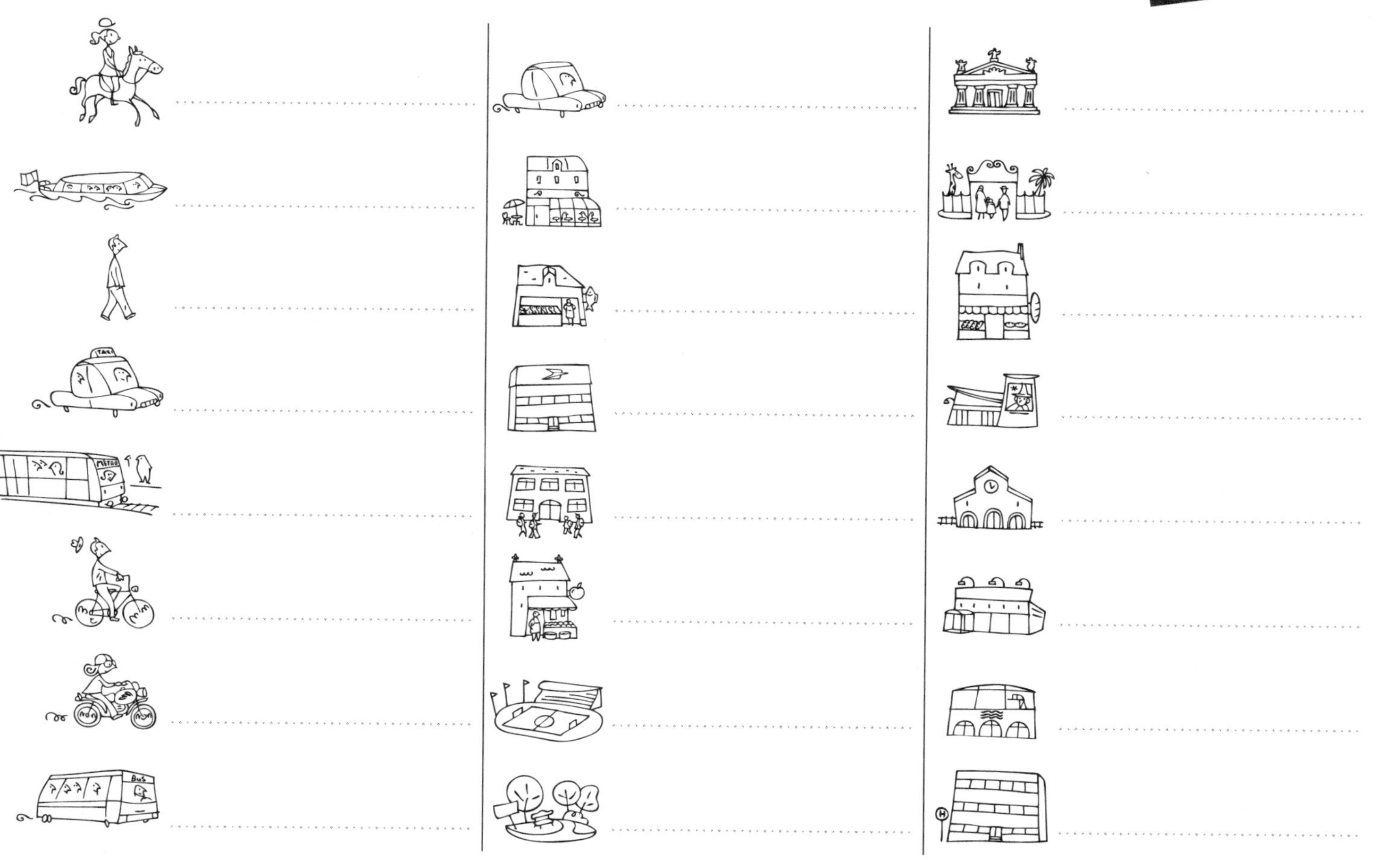

Évalue ton travail !

Ton score : ... / 30

Mon emploi du temps

Livre pages 48-49

1 Complète avec [R] ou [l], c'est-à-dire « r » ou « l » ! Puis lis les phrases à voix haute !

....éveille-toi !

....ève-toi !

....ave-toi !

Ne ....ève pas !

Ne ....egarde pas la té....é !

Tous ....es matins, c'est le même ....efrain à mes o....eilles !

2 Écris ou dessine l'heure qu'il est !

1

....

2
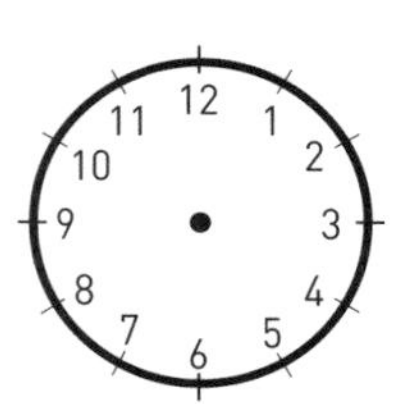

Il est huit heures vingt.

3

....

4
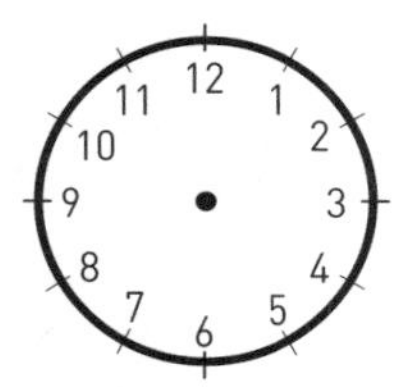

Il est cinq heures trente-cinq.

5

....

6
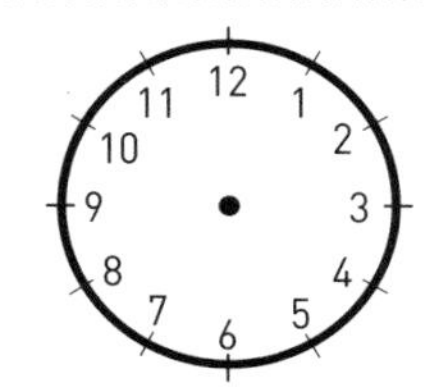

Il est onze heures quinze.

3 Les verbes pronominaux → Complète !

1 Réveille-toi ! – Oui, je .... réveille !
2 Tu .... lèves ? – Oui, je me lève !
3 Lave-.................. ! – Oui, je me lave !
4 Qu'est-ce qu'elle fait ? Elle .... dépêche ?
5 Brosse-toi les dents ! – Oui, je .... brosse les dents !
6 Tu ne .... habilles pas ? – Si, je m'habille !

4 Complète les tableaux de conjugaisons !

courir	dormir	partir
je *cours*	je	je ....
tu	tu *dors*	tu ....
il / elle / on	il / elle / on	il / elle / on *part*
nous *courons*	nous	nous *partons*
vous	vous *dormez*	vous ....
ils / elles	ils /elles	ils /elles ....

1 Regarde et complète le texte ! Attention, les images sont en désordre…

Livre page 50

A B C D E F

Le dimanche, je me lève à .... Je p........................ mon petit déjeuner à .... Puis j'............................ de la musique à .... Je .... la télévision à .... et je m'habille à .... À ...., je vais faire du .... dans le parc avec mon .... !

2 Mets les lettres dans l'ordre, relie les noms de matières scolaires aux dessins et écris-les !

....

....

....

ÇASIRFAN
STAHM
TROPS
PRAHOGIEGE
MICHE
ORITHISE

....

....

....

3 Associe les « abréviations » aux mots !

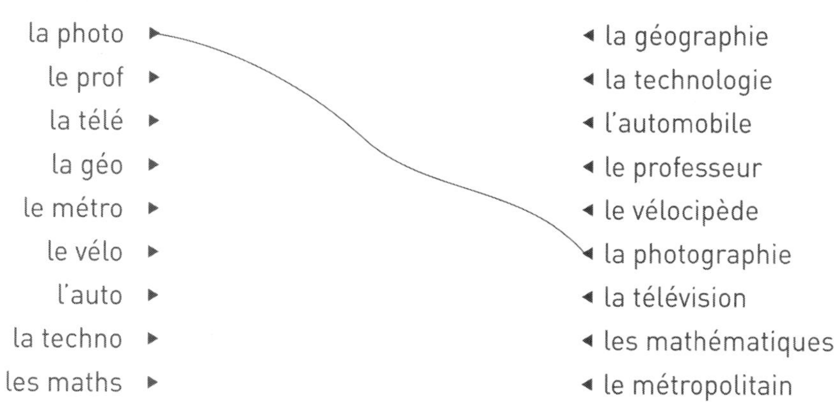

la photo ►	◄ la géographie
le prof ►	◄ la technologie
la télé ►	◄ l'automobile
la géo ►	◄ le professeur
le métro ►	◄ le vélocipède
le vélo ►	◄ la photographie
l'auto ►	◄ la télévision
la techno ►	◄ les mathématiques
les maths ►	◄ le métropolitain

1 **Regarde et lis le texte ! Vrai (V) ou faux (F) ? Si c'est faux, corrige !**

Livre page 51

Nom : Oda   Âge : 18 ans

Oda aime faire du sport à Paris : le lundi et le jeudi, elle fait du vélo sur les Champs-Élysées. Le mardi et le mercredi, elle joue au badminton dans le jardin du Luxembourg. Elle joue au volley sous la tour Eiffel le vendredi. Le samedi et le dimanche, elle ne fait pas de planche à voile sur la Seine mais un peu de jogging devant le musée du Louvre.

1 Oda fait du vélo le jeudi. ☐ V ☐ F ....
2 Elle joue au volley le lundi. ☐ V ☐ F ....
3 Le dimanche, elle fait de la planche à voile. ☐ V ☐ F ....
4 Elle joue au ping-pong le mercredi. ☐ V ☐ F ....
5 Elle est au jardin du Luxembourg le mardi. ☐ V ☐ F ....
6 Le vendredi, elle fait du jogging. ☐ V ☐ F ....

2 **Complète avec *quel, quelle, quels* ou *quelles* et réponds !**

1 À .... heure tu te lèves ? ....
2 .... sont tes animaux préférés ? ....
3 .... est ta boisson préférée ? ....
4 .... est ton passe-temps préféré ? ....
5 .... ton jour préféré ? ....
6 .... sont tes matières préférées ? ....

3 **Écris ton emploi du temps en français et présente-le ! (Voir le modèle dans le livre page 51.)**

Jours / Heures						

Exemple : Le lundi, j'ai français à 8 heures 30, puis maths à 9 heures 30. J'aime les maths ! Ensuite, il y a une récréation. J'adore les récréations, etc.

1 **Quel jour nous sommes dans la BD des *Trois Mousquetaires* page 52 ? Il est quelle heure au début ?**

Livre pages 52-53

Nous sommes .... et il est ....

2 **Écris ton blog ! Complète et coche les bonnes cases !**

Nom du blog :

....

Pseudo :

....

Date de création :

....

Dernière mise à jour :

....

Mes amis :

....

....

....

....

....

Mes blogs ou liens préférés :

....

....

....

....

....

....

Colle ici des photos de ton collège (lycée, école) ou dessine tes matières préférées !

Tu peux aussi utiliser des images de la fiche 12 du guide pédagogique !

Un jour de classe :

Je me lève à .... heures ....

Puis je me ....

Je .... mon ....

.... et

je ....

Je pars au collège (au lycée, à l'école) à .... heures ....

Je suis dans la classe ....

Il y a .... élèves.

Mon jour de classe préféré c'est le

.... :

J'ai d'abord .... ,

puis ....

et ....

Il y a une récréation à ....

La journée finit à .... heures ....

Dans mon collège (lycée), il y a

- ☐ une cantine.
- ☐ un parc.
- ☐ une piscine.
- ☐ un café.
- ☐ un stade.
- ☐ des clubs.
- ☐ un(e) ....
- ☐ un(e) ....

Je déteste le (l', la, les) ....

....

J'adore le (l', la, les) ....

....

Le (la) prof est super !

[Ajouter un commentaire] [... commentaires]

Posté le ... Modifié le ...

Portfolio

Fais le point !

(Tu peux demander son aide à ton professeur !)

	☹	😐	☺
A1 Comprendre : Écouter			
Je peux comprendre des consignes simples dans la classe.			
Je peux comprendre des informations simples sur l'heure qu'il est, le jour où nous sommes.			
Je peux comprendre des informations simples sur un emploi du temps et des matières scolaires.			
A1 Comprendre : Lire			
Je peux lire et comprendre des informations simples sur l'heure qu'il est, le jour où nous sommes.			
Je peux lire et comprendre des informations simples sur un emploi du temps et des matières scolaires.			
Je peux comprendre un petit message (courriel, carte postale, etc.) utilisant ces informations.			
A1 Parler : Prendre part à une conversation			
Je peux demander à quelqu'un l'heure qu'il est.			
Je peux dire à quelqu'un l'heure qu'il est.			
Je peux demander à quelqu'un quel jour nous sommes.			
Je peux dire à quelqu'un quel jour nous sommes.			
Je peux demander à quelqu'un de faire quelque chose. (*Lève-toi ! Dépêche-toi !* etc.)			
Je peux demander à quelqu'un une information sur un jour de la semaine.			
Je peux donner à quelqu'un une information sur un jour de la semaine.			
A1 Parler : S'exprimer en continu			
Je peux parler de mon emploi du temps au collège (au lycée, à l'école).			
Je peux parler de mes activités et de mes passe-temps tout au long de la semaine.			
A1 Écrire			
Je peux recopier sans erreur des mots ou des phrases simples concernant l'heure qu'il est, un emploi du temps ou des matières scolaires.			
Je peux écrire un petit message (courriel, carte postale, blog, etc.) utilisant ces mots et ces phrases.			
A1 Compétences culturelles			
Je peux citer des matières scolaires enseignées en France.			
Je peux expliquer la journée d'un élève français.			
Je peux aussi...			

Teste-toi !

Tu sais répondre à ces questions ? 12 points

1 Comment s'appelle ton collège (ton école, ton lycée) ? Tu es dans quelle classe ?

....

2 Quels sont tes professeurs préférés ?

....

....

3 Quels sports tu peux faire dans ton collège ?

....

....

4 Tu aimes les récréations ? Oui ? Non ? Pourquoi ?

....

5 Dans ta classe, tu fais du cinéma, du théâtre, de la musique ? Oui ? Non ? Explique !

....

....

6 Tu aimes bien ton collège ? Oui ? Non ? Pourquoi ?

....

....

Tu connais ces noms de matières scolaires en français ? 18 points

Évalue ton travail !

Ton score : ... / 30

Paris et ses monuments

Découpe et colle les monuments de Paris de la fiche photocopiable 11 sur le plan ! Aide-toi du livre page 41 ou d'un plan de Paris. Puis écris le nom des monuments !

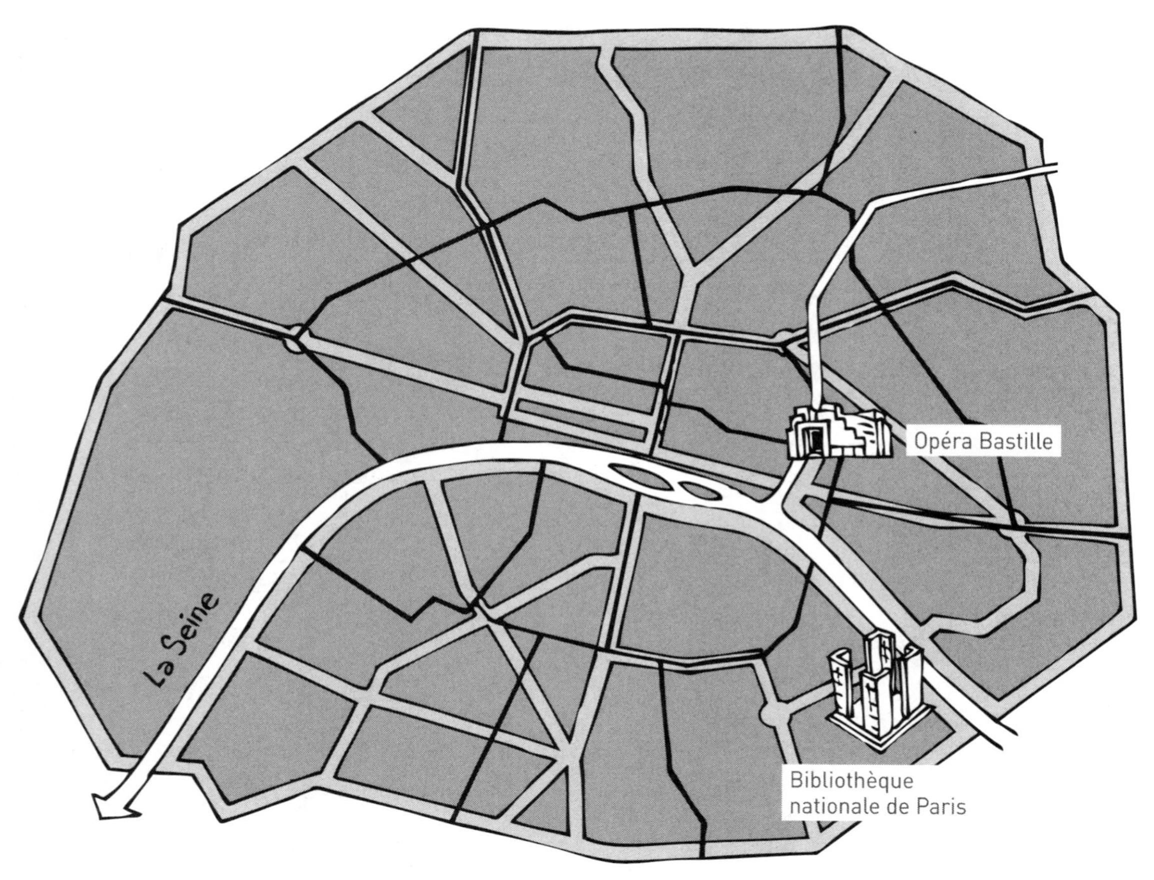

Ma recherche

Choisis un des monuments ou un des lieux de Paris et fais une recherche !

Son nom : ....

Trouve…

- sa date de construction ou d'aménagement : ....
- son architecte ou son concepteur : ....
- peut-être un tableau de peinture, une œuvre littéraire ou musicale ou encore une chanson qui évoque ce monument ou ce lieu ! Son titre : ....
- et aussi une histoire ou une anecdote liée au monument ou au lieu, à raconter dans ta langue maternelle !

Ma journée à Paris

Tu as besoin d'un ⚂. Lance le ⚂ et complète les phrases du texte en bas de la page ! Par exemple, si tu obtiens 2 pour (A), tu écris « mardi » dans l'espace (A) du texte. Bonne chance !

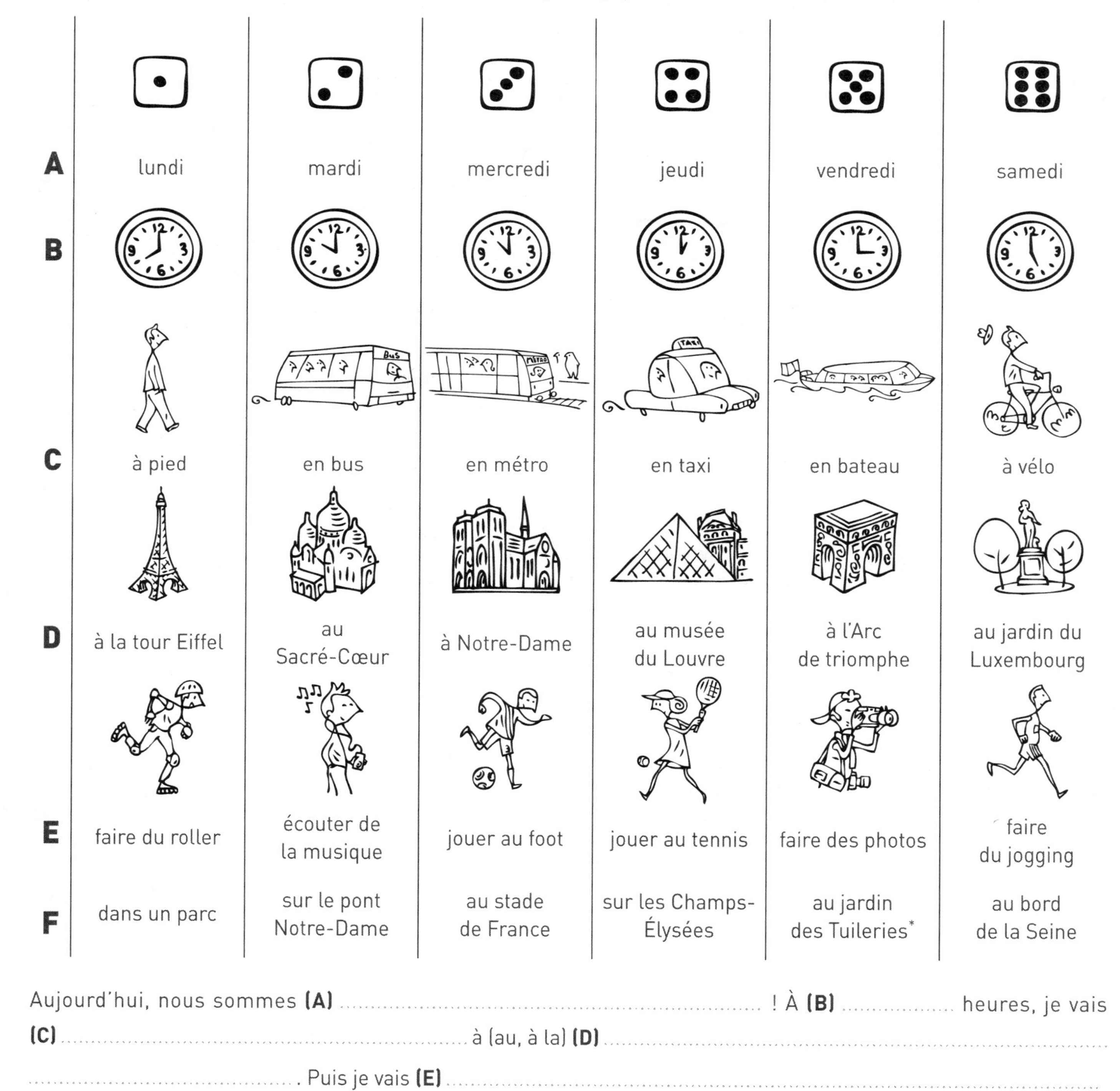

	⚀	⚁	⚂	⚃	⚄	⚅
A	lundi	mardi	mercredi	jeudi	vendredi	samedi
B						
C	à pied	en bus	en métro	en taxi	en bateau	à vélo
D	à la tour Eiffel	au Sacré-Cœur	à Notre-Dame	au musée du Louvre	à l'Arc de triomphe	au jardin du Luxembourg
E	faire du roller	écouter de la musique	jouer au foot	jouer au tennis	faire des photos	faire du jogging
F	dans un parc	sur le pont Notre-Dame	au stade de France	sur les Champs-Élysées	au jardin des Tuileries*	au bord de la Seine

Aujourd'hui, nous sommes **(A)** .... ! À **(B)** .... heures, je vais **(C)** .... à (au, à la) **(D)** ....
.... Puis je vais **(E)** ....
(F) .... Quelle journée !

* Le jardin des Tuileries : *un jardin près du musée du Louvre.*

Mon portrait

Livre pages 58-59

1 Écris les bonnes consignes !

avancer	baisser	~~lever~~	plier	secouer	tourner
les bras	les jambes		les mains	le pied	la tête

1 2 3 4 5 6

1 Lève les bras et la tête !
2 Tourne la tête !
3 Plie les jambes !
4 Avance le pied !
5 Baisse les bras !
6 Secoue les mains !

2 Corrige !

1 Elle s'appelle Morgane. C'est une *momie* / ....
2 Il traverse les océans sur un bateau. C'est un *gobelin* / ....
3 Il a deux têtes et quatre bras. C'est un *pirate* / ....
4 Il s'appelle Athos. C'est un *monstre* / ....
5 Elle dort sous une pyramide. C'est une *fée* / ....
6 C'est un être fantastique. C'est un *mousquetaire* / ....

3 Complète avec [v] ou [b], c'est-à-dire « v » ou « b » ! Puis lis les phrases à voix haute !

Tu pars en ...us, en ...ateau ou à ...élo ?
J'ha...ite en ...ille, de...ant la ...oulangerie.
...onjour ! Ré...eille-toi ! ...ite ! Ha...ille-toi !
Lè...e le ...ras, a...ance la jam...e, ...aisse la tête, ne ...ouge pas !
Qu'est-ce que tu fais en jan...ier, en fé...rier, en a...ril ?

[b]	[v]
bus, ...	vélo, ...

1 Écris les mots !

Livre page 60

la bouche | les cheveux | la main | le nez | l'œil | l'oreille | les yeux

les cheveux ....
l'oreille ....
l'œil ....
les yeux ....
le nez ....
la bouche ....
la main ....

D'après Picasso

2 Accorde les adjectifs !

1 Mon frère a les cheveux (court) .... et (brun) ....
2 Ma sœur, elle, a les cheveux (long) .... et (blond) ....
3 Ma mère a les yeux (marron) .... et les cheveux (noir) ....
4 Mon grand-père a les cheveux (gris) .... et les yeux (bleu) ....

3 Complète !

bleu(s) | brun(s) | gris | vert(s) | roux | long(s) | court(s) | mi-longs

1 Qui a les cheveux .... et mi-longs et les yeux .... ? C'est Agathe.
2 Qui a les cheveux .... et .... et les yeux .... ? C'est Théo.
3 Qui a les cheveux .... et .... et les yeux .... ? C'est Léa.
4 Qui a les cheveux .... et .... et les yeux .... ? C'est Max.
5 Qui a les cheveux .... et .... et les yeux .... ? C'est Milady.
6 Qui a les cheveux .... et .... et les yeux .... ? C'est la reine.

4 Les adjectifs possessifs → Complète le tableau avec les mots suivants !

~~affaires~~ amie animaux anniversaire bouche cheveux chien crayons famille feutres hamster idée jambes lapin livres main oreille perruche poney règle tête tortue trousse yeux

mon / ton	ma / ta	mes / tes
....	....	affaires, ...
....	....	....
....	....	....
....	....	....

1 Lis et mets le bon numéro !

Livre page 61

1 

2

3 

4 

☐ Il a un grand nez, des grands yeux, une grande bouche et des cheveux blonds.
☐ Il a une petite bouche, un grand nez, des petits yeux et des cheveux bruns.
☐ Il a des cheveux bruns, des grands yeux, une petite bouche et un petit nez.
☐ Il a des petits yeux, une grande bouche, un petit nez et des cheveux blonds.

2 La place de l'adjectif qualificatif → Écris les phrases dans l'ordre et colorie le portrait !

1 Voici / portrait / préféré / mon /
Voici mon portrait préféré.

2 C'est / vert / gobelin / un / petit /
....

3 Il a / yeux / cheveux / noirs / des / et / des / roux /
....

4 Il a / une / oreilles / petite / des / bouche / grandes / et /
....

5 Il a / jambes / longs / des / petites / et / des / bras /
....

6 Il habite / une / bleue / maison / dans / petite /
....

3 Les adjectifs possessifs → Complète avec *mon, ma, mes, ton, ta, tes, son, sa* ou *ses* !

« .... cheveux sont roux, ... yeux sont verts. J'ai toujours .... portable dans .... sac. J'adore .... chat et .... perruche !
Toi, Théo, tu adores .... poissons ! Tu as toujours .... baladeur et tu aimes faire de la musique avec .... ordinateur. .... idées sont super et .... musique est géniale : .... matière préférée, c'est la musique !
Max ? .... cheveux sont mi-longs et noirs. Il a toujours .... dessins, ... trousse, ... gomme et .... crayons avec lui. .... père s'appelle Antoine et .... mère s'appelle Lucie. Et j'adore aussi .... amie Léa. On a fêté .... anniversaire en octobre ! »

☐ **Écris ton blog ! Complète et coche les bonnes cases !**

Livre pages 62-63

Nom du blog :
....

Pseudo :
....

Date de création :
....

Dernière mise à jour :
....

Mes amis :
....
....
....
....
....

Mes blogs ou liens préférés :
....
....
....
....
....
....

Colle ici des photos ou portraits de toi et d'une personne que tu aimes bien : membre de ta famille, ami(e), star, sportif ou sportive préférée, etc. !

Mon portrait :

J'ai les yeux ....

J'ai les cheveux ....

Mes cheveux sont

☐ longs.
☐ mi-longs.
☐ courts.
☐ assez courts.
☐ très courts.

Je suis

☐ grand(e).
☐ assez grand(e).
☐ petit(e).
☐ assez petit(e).
☐ de taille moyenne.

Son portrait :

Il (elle) a les yeux ....

Il (elle) a les cheveux ....

Ses cheveux sont :

☐ longs.
☐ mi-longs.
☐ courts.
☐ assez courts.
☐ très courts.

Il (elle) est

☐ grand(e).
☐ assez grand(e).
☐ petit(e).
☐ assez petit(e).
☐ de taille moyenne.

Il (elle) s'appelle ....

[Ajouter un commentaire] [... commentaires]

Posté le ... Modifié le ...

Portfolio

Fais le point !

(Tu peux demander son aide à ton professeur !)

	☹	😐	☺
A1 Comprendre : Écouter			
Je peux comprendre des consignes simples dans la classe.			
Je peux comprendre des informations simples concernant la description physique d'une personne.			
A1 Comprendre : Lire			
Je peux lire et comprendre des informations simples concernant la description physique d'une personne.			
Je peux comprendre un petit message (courriel, carte postale, etc.) utilisant ces informations.			
A1 Parler : Prendre part à une conversation			
Je peux demander à quelqu'un de décrire la couleur de ses yeux et de ses cheveux.			
Je peux dire à quelqu'un de quelle couleur sont mes yeux et mes cheveux.			
Je peux demander à quelqu'un s'il est grand, petit, de taille moyenne, etc.			
Je peux dire à quelqu'un si je suis grand(e), petit(e), de taille moyenne, etc.			
Je peux demander à quelqu'un de faire quelque chose. (*Tourne la tête ! Lève les bras !* etc.)			
Je peux demander à plusieurs personnes de faire quelque chose. (*Tournez la tête ! Levez les bras !* etc.)			
Je peux exprimer une obligation. (*Je dois...*)			
A1 Parler : S'exprimer en continu			
Je peux me décrire.			
Je peux décrire quelqu'un.			
A1 Écrire			
Je peux recopier sans erreur des mots ou des phrases simples concernant la description physique d'une personne.			
Je peux écrire un petit message (courriel, carte postale, blog, etc.) utilisant ces mots et ces phrases.			
A1 Compétences culturelles			
Je peux citer des personnages de bandes dessinées francophones.			
Je peux décrire des personnages de bandes dessinées francophones.			
Je peux aussi...			

Teste-toi !

Tu sais poser les questions correspondantes ? 12 points

1 .... ?
J'ai les yeux noirs.

2 .... ?
Elle a les cheveux bruns.

3 .... ?
Le monstre a six jambes.

4 .... ?
Mon portrait préféré c'est le portrait de Picasso !

Tu connais ces mots en français ? Écris-les avec *un*, *une* ou *des* ! 18 points

Évalue ton travail !

Ton score : ... / 30

Vêtements et fêtes

Livre pages 66-67

1 Écris les mots et relie-les aux vêtements !

des bottes ~~un chapeau~~ une chemise un gilet une jupe un manteau un pantalon une robe une veste

un chapeau ....

....

....

....

....

....

....

....

2 Colorie les vêtements des personnages de l'activité 1, puis décris-les !

bleu/bleue gris/grise marron noir/noire vert/verte

1 La fée a un(e) ....
2 Le pirate porte un(e) ....
3 La sorcière a un(e) ....
4 Le magicien porte un(e) ....

3 Les sons [ʃ] et [ʒ] → Entraîne-toi à lire les phrases à voix haute !

Je cherche une chemise et un gilet pour jeudi ! Et pour dimanche, une jupe et un chapeau !
Je veux des cheveux, une bouche qui bouge et des jambes qui marchent...
Voici un chien magicien, une perruche géniale et un chat judoka !
Aujourd'hui, je me dépêche de manger du chocolat et du fromage au déjeuner.

4 Les verbes pronominaux → Complète les tableaux de conjugaisons !

se lever	s'habiller	se déguiser
je me lève	je m'habille	je ....
tu	tu t'..................	tu te ....
il / elle se	il / elle	il / elle ....
nous nous levons	nous	nous ....
vous	vous vous habillez	vous ....
ils / elles se lèvent	ils /elles	ils / elles se déguisent

1 Trouve !

Livre page 68

1 violet = rouge + bleu
2 gris = blanc + ...
3 orange = jaune + ...
4 marron = ...
5 beige = ...
6 rose = ...
7 vert = ...
8 ....

2 Associe !

un tee-shirt | un blouson | une casquette | un pull | une jupe | une chemise | une veste

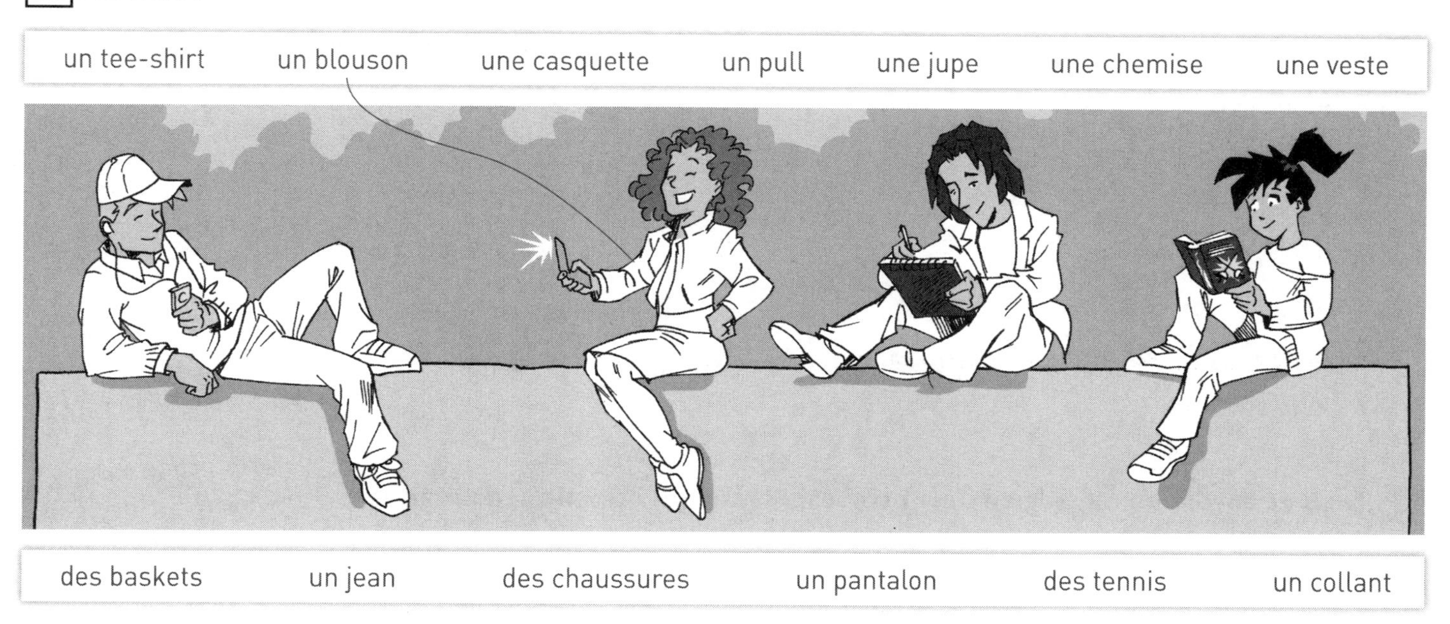

des baskets | un jean | des chaussures | un pantalon | des tennis | un collant

3 L'accord de l'adjectif → Lis et entoure à chaque fois le mot correct ! Puis colorie !

Léa porte un **long** / **longue** pull rose, un jean **bleue** / **bleu**, un tee-shirt **violette** / **violet** et des baskets **rouges** / **rouge**.
Théo a une casquette **blanc** / **blanche**, son jean et sa chemise sont **bleus** / **bleues**, son pull et ses tennis sont **beiges** / **beige**.
Le blouson et le collant d'Agathe sont **noir** / **noirs** et ses chaussures sont **orange** / **oranges**. Sa jupe est **verte** / **vert**.
Max porte des chaussures **marrons** / **marron** , une veste **gris** / **grise**, un tee-shirt **jaunes** / **jaune** et un pantalon **blanc** / **blanche**.

Regarde bien dans ton livre page 68 !

4 La négation des verbes pronominaux → Regarde l'exemple et réponds !

Exemple : Tu te déguises ? – Non, je ne me déguise pas !

1 Max se lève à 7 heures ? – Non, il ....
2 Tu te brosses les cheveux ? – Non, je ....
3 Elle se dépêche ? – Non, elle ....
4 Tu t'habilles maintenant ? – Non, je ....
5 Vous vous réveillez ? – Non, nous ....

1 Les fêtes en France → Associe !

Livre page 69

Le Jour de l'an... ▸	◂ ...on mange des œufs en chocolat.
Lors de la fête des Rois... ▸	◂ ...il y a des feux d'artifice.
Pour le carnaval... ▸	◂ ...on souhaite une « Bonne année » à ses amis.
À Pâques... ▸	◂ ...on se déguise.
Le 14 Juillet... ▸	◂ ...on souhaite un « Joyeux Noël » à ses amis.
À Noël... ▸	◂ ...on mange la « galette ».

2 Les questions avec *est-ce que* → Regarde l'exemple et transforme les questions !

Exemples : Ça va ? → Est-ce que ça va ? – Tu portes quoi ? → Qu'est-ce que tu portes ?

1 Tu t'appelles comment ? → .... ?

2 Tu habites où ? → .... ?

3 Tu fais quoi ? → .... ?

4 Tu vas au carnaval ? → .... ?

5 Tu pars quand ? → .... ?

6 Tu te déguises ? → .... ?

3 Écris et envoie un message à un(e) correspondant(e) ou un(e) camarade !

De :
À :

Bonjour .... !

Dans mon pays, la fête nationale c'est le ....

☐ Il y a un défilé.

☐ Il y a des feux d'artifice.

☐ On s'amuse et on danse.

☐ ....

Dans mon pays, on fête / on ne fête pas le Jour de l'an.

C'est le ....

Il y a aussi d'autres fêtes, par exemple :

....

Les couleurs du drapeau de mon pays, c'est le ....

....

Au revoir !

....

☐ **Écris ton blog ! Complète et coche les bonnes cases !**

Livre pages 70-71

Nom du blog :

....

Pseudo :

....

Date de création :

....

Dernière mise à jour :

....

Mes amis :

....

....

....

....

....

Mes blogs ou liens préférés :

....

....

....

....

....

....

Colle ici des photos de vêtements ou de déguisements que tu aimes bien ou encore des photos de toi avec ton uniforme scolaire !

Tu peux aussi utiliser des images de la fiche 14 du guide pédagogique !

Bonjour !

Ma couleur préférée, c'est le

....

J'aime bien aussi le

....

Je n'aime pas le ....

Je porte souvent

un(e) ....

et un(e) ....

J'aime bien

☐ les tee-shirts

☐ les baskets ou les tennis

☐ les casquettes

☐ ....

☐ ....

Me déguiser ?

☐ Oui, j'adore !

Je voudrais me déguiser en

....

☐ Non, je déteste !

Dans mon école, collège, lycée,

☐ il n'y a pas d'uniforme.

☐ il y a un uniforme.

C'est un(e) ....

et ....

....

☐ Je suis pour les uniformes à l'école (au collège, au lycée).

☐ Je suis contre les uniformes à l'école (au collège, au lycée).

Et toi ?

[Ajouter un commentaire] [... commentaires]

Posté le ... Modifié le ...

Portfolio

Fais le point !

(Tu peux demander son aide à ton professeur !)

	☹	😐	☺
A1 Comprendre : Écouter			
Je peux comprendre des consignes simples dans la classe.			
Je peux comprendre des informations simples concernant le destinataire d'une action. (*C'est pour lui.*)			
Je peux comprendre des informations simples concernant le but ou le moment d'une action. (*C'est pour faire des photos. C'est en mars.*)			
Je peux comprendre des informations sur des vêtements, des couleurs.			
A1 Comprendre : Lire			
Je peux lire et comprendre des informations simples concernant le destinataire d'une action.			
Je peux lire et comprendre des informations simples concernant le but ou le moment d'une action.			
Je peux lire et comprendre des informations sur des vêtements, des couleurs.			
Je peux comprendre un petit message (courriel, carte postale, etc.) utilisant ces informations.			
A1 Parler : Prendre part à une conversation			
Je peux parler du destinataire, du but d'une action. (*C'est pour lui.*)			
Je peux demander à quelqu'un de décrire les vêtements qu'il porte.			
Je peux parler à quelqu'un des vêtements, des couleurs que je porte.			
Je peux demander à quelqu'un le moment d'une action. (*C'est quand ?*)			
Je peux parler à quelqu'un du moment d'une action. (*C'est en mars.*)			
Je peux dire que je sais ou que je ne sais pas.			
A1 Parler : S'exprimer en continu			
Je peux décrire mes vêtements et mes goûts vestimentaires.			
Je peux décrire les vêtements de quelqu'un et ses goûts vestimentaires.			
Je peux parler des fêtes calendaires de mon pays.			
A1 Écrire			
Je peux recopier sans erreur des mots ou des phrases simples utilisant les informations citées plus haut.			
Je peux écrire un petit message (courriel, carte postale, blog, etc.) utilisant ces mots et ces phrases.			
A1 Compétences culturelles			
Je peux citer des noms de fêtes calendaires en France et en parler.			
Je peux aussi...			

Teste-toi !

Tu sais répondre à ces questions ? 12 points

1 C'est quand la fête nationale en France ?

....

2 Qu'est-ce qu'on souhaite à ses amis pour la fête de Noël ?

....

3 Qu'est-ce qu'on souhaite à ses amis pour le Jour de l'an ?

....

4 Qu'est-ce qu'on mange pour la fête des Rois ?

....

5 Comment on fête le carnaval ?

....

6 Quelles sont les couleurs du drapeau français ?

....

Tu connais ces mots en français ? Écris-les avec *un*, *une* ou *des* ! 18 points

Évalue ton travail !

Ton score : ... / 40

« Les ferrets de la reine »

d'après *Les Trois Mousquetaires* d'Alexandre Dumas

Scène 1 : D'Artagnan, Aramis, Athos, Porthos, Anne d'Autriche, Buckingham, Louis XIII, Constance, Richelieu, Milady, les cinq gardes, les espions, le joaillier. Chacun vient se présenter :

D'ARTAGNAN : Bonjour ! Je m'appelle Charles de Batz[1], seigneur d'Artagnan. Je suis bientôt mousquetaire.

ARAMIS : Je m'appelle Aramis. Je suis mousquetaire du roi.

ATHOS : Moi, c'est Athos ! Aramis est mon ami. Moi aussi, je suis mousquetaire.

PORTHOS : Je suis Porthos. Aramis et Athos sont mes amis. Bien sûr, je suis mousquetaire et... j'aime beaucoup manger !

ANNE D'AUTRICHE : Moi, je suis la reine de France. Je suis la femme du roi Louis XIII. Je n'aime pas beaucoup Louis. Je préfère George de Buckingham.

BUCKINGHAM : Oui, c'est moi George de Buckingham. Je suis anglais. L'Angleterre est un pays ennemi de la France en ce moment. Mais j'aime beaucoup Anne !

LOUIS XIII : Et moi, je suis le roi de France, Louis XIII. Je déteste Buckingham.

CONSTANCE : Bonjour ! Je m'appelle Constance. Je suis la femme de chambre de la reine. J'aime beaucoup d'Artagnan !

RICHELIEU : Je suis Richelieu. Je suis cardinal et ministre du roi.

MILADY : Moi, c'est Milady. Je suis l'agent secret de Richelieu.

LE JOAILLIER : Je suis le joaillier de Buckingham : c'est moi qui fabrique ses bijoux.

LES GARDES : Nous sommes les gardes du cardinal !

LES ESPIONS : Nous sommes les espions : nous sommes partout...

Scène 2 : D'Artagnan, Athos, Porthos, Aramis et les cinq gardes du cardinal.

À Paris, chez le capitaine des mousquetaires. D'Artagnan arrive en courant. Il bouscule Athos.

ATHOS : Aïe !

D'ARTAGNAN : Oh, pardon !

ATHOS *(fâché)* : Je vous donne rendez-vous pour un duel, dans une heure !

D'ARTAGNAN : Oui, d'accord !

D'Artagnan, toujours pressé, arrache le manteau de Porthos.

PORTHOS : Hé !

D'ARTAGNAN : Oh, pardon !

PORTHOS *(fâché)* : Je vous donne rendez-vous pour un duel, dans une heure !

D'ARTAGNAN : Oui, d'accord !

D'Artagnan marche sur le pied d'Aramis.

ARAMIS : Ouille, ouille !

D'ARTAGNAN : Oh, pardon !

ARAMIS *(fâché)* : Je vous donne rendez-vous pour un duel, dans une heure !

D'ARTAGNAN : Oui, d'accord ! Oh là là...

D'Artagnan et les trois mousquetaires sortent de scène.

Une heure plus tard : Les « Trois Mousquetaires », Athos, Porthos et Aramis attendent ensemble d'Artagnan.

D'Artagnan arrive : il est courageux, mais il a quand même un peu peur !

D'ARTAGNAN : Aïe, aïe, aïe !

Tout à coup, des gardes du cardinal arrivent.

LES GARDES : Stop ! Vous ne pouvez pas vous battre : c'est interdit[2] ! Nous sommes cinq ! Et vous êtes trois ! Ah ! Ah !

D'ARTAGNAN : Non, nous sommes quatre ! Ah ! Ah !

D'Artagnan, Athos, Porthos et Aramis font fuir les gardes. Puis ils s'écrient tous ensemble :

ATHOS, PORTHOS, ARAMIS, D'ARTAGNAN : Tous pour un ! Un pour tous !

1. « Batz » se prononce [ba]. – 2. Le cardinal de Richelieu a interdit la pratique des duels.

Scène 3 : Buckingham, Anne d'Autriche, Constance, Milady, espions.

À gauche, le palais du duc de Buckingham, à Paris. À droite, le palais du Louvre, chez la reine. Il y a des espions partout chez Buckingham. Milady est chez la reine, cachée. Buckingham se réveille.

BUCKINGHAM : J'ai rendez-vous avec Anne, ma reine ! Vite, je me dépêche !

La reine se réveille.

ANNE D'AUTRICHE : J'ai rendez-vous avec Buckingham, mon ami ! Vite, je me dépêche !

BUCKINGHAM : Je me brosse les dents.

ANNE D'AUTRICHE : Je me brosse les dents.

BUCKINGHAM : Je mets mon plus beau costume.

ANNE D'AUTRICHE : Je mets ma plus belle robe.

BUCKINGHAM : Je me brosse les cheveux.

ANNE D'AUTRICHE : Je me brosse les cheveux.

BUCKINGHAM : Je me parfume.

ANNE D'AUTRICHE : Je me parfume.

BUCKINGHAM : Je cours au Louvre !

ANNE D'AUTRICHE : Voilà. Je suis prête.

Buckingham arrive en courant au palais du Louvre et frappe à la porte de la chambre de la reine.

BUCKINGHAM : Toc ! Toc !

CONSTANCE : C'est qui ?

BUCKINGHAM : C'est moi, George de Buckingham.

CONSTANCE : Entrez !

ANNE D'AUTRICHE : Oh ! Bonjour, mon ami !

Buckingham se précipite aux pieds de la reine.

BUCKINGHAM : Bonjour, ma reine ! Je vous aime !

ANNE D'AUTRICHE : Chut ! Levez-vous, je vous en prie !

BUCKINGHAM : Vous ne m'aimez pas ?

ANNE D'AUTRICHE : Mais, je suis la reine. Je ne peux pas vous aimer. Partez, partez !

BUCKINGHAM : Je pars. Mais donnez-moi un souvenir de vous.

La reine lui tend un petit coffret.

ANNE D'AUTRICHE : Voilà, c'est pour vous ! Partez, Milord !

Buckingham ouvre le coffret.

BUCKINGHAM : Oh ! Des ferrets[3] de diamants ? Merci, ma reine ! Au revoir, je rentre à Londres !

ANNE D'AUTRICHE : Au revoir, mon ami !

CONSTANCE : Au revoir !

Scène 4 : Milady, Richelieu

Au palais du Louvre, dans le bureau de Richelieu.

RICHELIEU : Les Anglais sont mes ennemis ! Le duc de Buckingham est anglais : c'est donc mon ennemi.

MILADY : Il est reparti à Londres avec un cadeau de la reine : ses ferrets !

RICHELIEU : Allez à Londres ! Rapportez les ferrets !

MILADY : Tous ?

RICHELIEU : Non, un ou deux...

Milady s'en va. Richelieu a un sourire méchant.

3. Des ferrets : *pointes métalliques au bout de cordons qui servaient pour lacer les vêtements. Ils pouvaient être ornés de diamants.*

Scène 5 : Richelieu, Louis XIII, Constance (cachée).

LOUIS XIII : Bonjour Richelieu ! La reine aime Buckingham, n'est-ce pas ?

RICHELIEU : Non, non, la reine vous aime toujours ! Donnez un bal ; la reine adore les bals. Et demandez-lui de porter ses ferrets de diamants !

LOUIS XIII : Un bal ? Hm... d'accord !

Scène 6 : Milady, Buckingham

À Londres, chez Buckingham. Il porte les ferrets de diamants de la reine accrochés à son costume.

BUCKINGHAM : Bonjour ! Bienvenue à Londres, Madame... ?

MILADY : Euh... Milady Clarick !

Milady s'approche de Buckingham et lui arrache discrètement deux ferrets de son costume. Buckingham ne se rend compte de rien.

BUCKINGHAM : Vous déjeunez avec moi ?

MILADY : Non merci, je dois partir. Au revoir !

Scène 7 : Constance, d'Artagnan

À Paris, chez Constance.

CONSTANCE : D'Artagnan, aide-nous ! La reine a donné au duc de Buckingham ses ferrets de diamants ! Mais c'est un cadeau du roi...

D'ARTAGNAN : Aïe, aïe, aïe !

CONSTANCE : Le roi donne bientôt un bal et il veut voir la reine porter son cadeau ! Rapporte les ferrets, vite !

D'ARTAGNAN : Oui, Constance, je pars ! Mais... avec mes amis !

Scène 8 : D'Artagnan, Athos, Porthos, Aramis

D'ARTAGNAN : Nous partons pour Londres !

TOUS : Tous pour un ! Un pour tous !

Les courageux mousquetaires partent vite à cheval. Ils veulent traverser la France pour rejoindre l'Angleterre. Mais des espions les attaquent. Un premier espion blesse Porthos au bras.

PORTHOS : Aïe, mon bras !

Un autre espion blesse Athos à la tête.

ATHOS : Oh, ma tête, ma tête !

Un troisième espion blesse Aramis à la jambe.

ARAMIS : Ouille, ma jambe !

D'ARTAGNAN : Les amis, je dois partir pour Londres sans vous...

Porthos, Athos et Aramis s'en vont en boitant ou en se tenant la tête ou le bras. D'Artagnan reste seul.

Scène 9 : Buckingham, d'Artagnan, le joaillier

À Londres, chez Buckingham. D'Artagnan, toujours très pressé, entre chez Buckingham.

D'ARTAGNAN : Milord ! Le roi donne un bal. Il veut voir la reine avec ses ferrets de diamants. Vite ! Donnez-moi les ferrets !

Buckingham va chercher le coffret et l'ouvre. Il est stupéfait.

BUCKINGHAM : Ah, mon dieu... Il manque deux ferrets ! C'est Milady Clarick ! ... Joaillier !

Le joaillier du duc arrive.

LE JOAILLIER : Oui ?

BUCKINGHAM : Regardez : il manque deux ferrets. Refaites-les très vite !

Le joaillier s'en va et revient très vite avec les nouveaux ferrets.

LE JOAILLIER : Voilà, Milord, les ferrets sont prêts !

BUCKINGHAM : Merci !

Buckingham tend les ferrets à d'Artagnan qui repart aussitôt à cheval.

D'ARTAGNAN : Je me dépêche ! Au revoir, duc !

BUCKINGHAM : Au revoir, d'Artagnan !

Scène 10 : Invités au bal du roi (gentilshommes, dames de la cour), d'Artagnan, Constance, Anne d'Autriche, Louis XIII, Richelieu, Athos, Porthos, Aramis, Milady, espions, gardes du cardinal. Un peu plus loin, le joaillier et Buckingham.

Au palais du Louvre. C'est le bal du carnaval. Tout le monde est déguisé. Richelieu est déguisé en pirate. Milady est déguisée en sorcière. Le roi est déguisé en magicien. La reine est déguisée en fée.

LOUIS XIII : Bonjour, Anne ! Mais... où sont vos ferrets ?

ANNE D'AUTRICHE : Mes ferrets ? Euh... je ne sais pas... Je reviens.

La reine s'en va. Richelieu s'approche du roi et lui donne deux ferrets.

RICHELIEU : Les ferrets ? En voici deux, votre Majesté !

LOUIS XIII : Quoi ? Qu'est-ce que cela veut dire ?

D'Artagnan arrive enfin, hors d'haleine. Il remet les deux ferrets à Constance. Constance va les donner à la reine qui rentre sur scène avec ses deux ferrets. Elle revient vers le roi. Mais le roi lui tend deux autres ferrets que Richelieu vient de lui remettre...

LOUIS XIII : Euh... il manque deux ferrets, non ?

ANNE D'AUTRICHE : Oh, vous m'en donnez deux autres ? Mais cela en fait quatorze ? Merci !

Le roi se retourne vers Richelieu. Il est fâché, il ne comprend rien. Richelieu s'adresse alors à la reine, d'un ton mielleux et hypocrite.

RICHELIEU : Les deux ferrets, euh... c'est un cadeau en plus ! Eh oui, Majesté, maintenant vous en avez quatorze !

La reine, très souriante, s'adresse au roi, perplexe...

ANNE D'AUTRICHE : Vous dansez, mon roi ?

LOUIS XIII : D'accord !

La reine et le roi ouvrent le bal. La reine passe devant Constance et lui donne discrètement une bague. Elle parle tout bas à Constance.

ANNE D'AUTRICHE : Merci à d'Artagnan ! C'est un cadeau pour lui !

Puis la reine s'adresse à voix haute à tous les invités.

ANNE D'AUTRICHE : Et maintenant, dansons, amusons-nous : c'est le bal du carnaval !

D'Artagnan invite Constance à danser ; Richelieu invite Milady ; les trois mousquetaires et des gentilshommes invitent des dames de la cour. Tout le monde danse !

TOUS *(sauf Richelieu et Milady)* : Vive la reine ! Vive les mousquetaires ! Vive d'Artagnan !

Ma maison

Livre pages 74-75

1 **Relie les mots aux dessins !**

la salle de séjour | la cuisine | la chambre | l'entrée

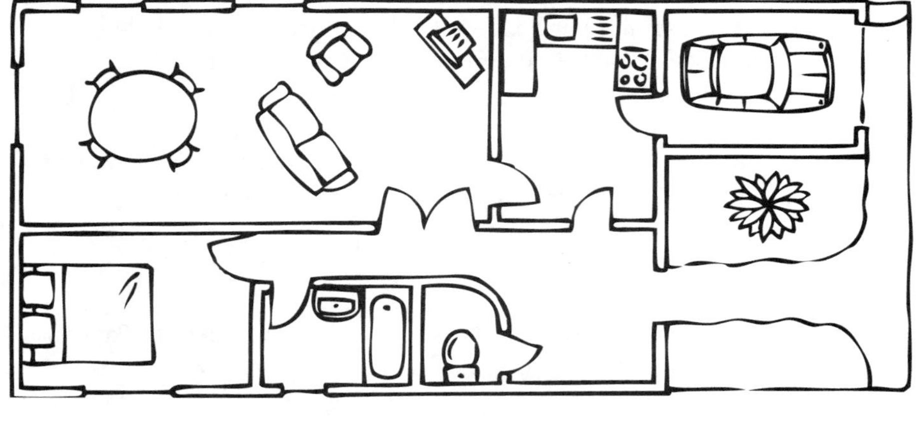

le jardin | la salle de bains | les toilettes | le garage

2 **Lis et dessine sur le plan !**

Dans l'entrée, il y a un cahier et un crayon.

Il y a un melon et deux escargots dans la cuisine.

Dans la salle de bains, il y a une pomme et une banane.

Il y a une chaussure et une casquette dans la salle de séjour.

Dans la chambre, il y a un coca et une pizza.

Dans les toilettes, il y a un livre.

Dans le garage, il y a une télévision et un vélo.

Et dans le jardin, il y a une botte et un chapeau !

3 **Les nombres de 70 à 100 → Entoure les nombres corrects !**

A ***70 :*** soixante et dix – cinquante-vingt – cinq-vingts – soixante-dix
B ***80 :*** soixante-vingt – quatre et vingt – quatre-vingts – soixante et vingt
C ***90 :*** quatre-vingt-dix – quarante-vingt-dix – quatre-vingt et dix – soixante-dix-vingt
D ***91 :*** quatre-vingt et un – quatre-vingt-onze – quatre-vingts-onze – quatre-vingt-un

4 **Voici des numéros de téléphone français. Regarde l'exemple et entraîne-toi à les lire !**

Exemple : 01 39 82 28 53 → zéro un, trente-neuf, quatre-vingt-deux, vingt-huit, cinquante-trois

A 02 15 44 61 90 → zéro deux, quinze, quarante-quatre, ...
B 03 68 36 99 42 → zéro trois, soixante-huit, ...
C 06 77 23 84 56 → zéro six, ...
D 04 55 12 87 71 → ....
E 01 26 97 63 34 → ....
F 05 81 45 78 19 → ....

5 **Complète les tableaux de conjugaisons !**

pouvoir	vouloir	faire
je	je veux	je ....
tu peux	tu	tu ....
il / elle / on	il / elle / on	il / elle / on ....
nous pouvons	nous	nous ....
vous	vous voulez	vous faites
ils / elles peuvent	ils /elles veulent	ils / elles font

1 Écris les mots et relie-les aux dessins !

Livre page 76

~~une armoire~~ un bureau un canapé une chaise une commode un fauteuil une lampe un lit un ordinateur une table un tapis

une armoire ....

....

....

....

....

2 Regarde le livre page 76 et décris la chambre d'Agathe, ses objets et ses couleurs !

Exemple : Sur le lit d'Agathe, il y a son petit appareil photo et son chat roux.

1 Devant son lit, il y a ....
2 Sur son bureau, ...
3 Sous sa chaise, ...
4 Sur sa commode, ...
5 Dans sa commode, ...
6 Sur son fauteuil, ...

3 Les sons [ɑ̃] et [ɛ̃] → Lis les phrases à voix haute, puis écris les mots dans la bonne colonne !

Devant la *chambre* et la salle de *bains*, il y a un *grand jardin* !
J'ai *faim* : je *prends* du *pain* et des *croissants* !
Combien ? *Trente chiens* et *quarante lapins* ?
Tu *commences quand* ? Le *quinze juin* ou le *cinq septembre* ?

[ɑ̃]	[ɛ̃]
devant, ...	jardin, ...

Le son [ɑ̃] s'écrit : an, ..., ..., ...

Le son [ɛ̃] s'écrit : in, ..., ..., ...

1 Écris les dates en chiffres ou en lettres !

Livre page 77

dix · vingt · trente · quarante · cinquante · soixante · soixante-dix · quatre-vingt · quatre-vingt-dix · cent

Exemples : 1220 → *douze cent vingt*. Dix-huit cent dix → *1810*

A 1340 → ……………………

B quatorze cent soixante-dix → ……………………

C 1560 → ……………………

D seize cent quatre-vingt → ……………………

E 1750 → ……………………

F dix-neuf cent quatre-vingt-dix → ……………………

2 L'expression de l'appartenance avec *de* → Écris les phrases dans l'ordre !

1 C'est / jardin / de / le / Constance.

…………………… .

2 la / C'est / Milady. / maison / de

…………………… .

3 chambre / d'Artagnan. / de / la / C'est

…………………… .

3 Souligne l'intrus (le mot qui ne convient pas) !

Au temps de d'Artagnan, en 1630…

1 Dans la rue, il y a des chevaux, des vélos, des chiens et des chats.

2 Dans la maison, le soir, on peut lire, jouer aux cartes, écouter la radio, faire de la musique.

3 Dans la chambre, il y a un lit, une armoire, une lampe, un ordinateur.

4 Dans la cuisine, il y a une machine à laver, une table, des chaises, une cheminée.

5 On peut manger du poulet, du poisson, des frites, des olives.

6 On peut aussi manger du fromage, des tomates, des pommes, de la soupe.

4 Regarde l'image « 1950 » dans le livre page 77 et complète !

canapé · fauteuil · lampe · radio · table · tapis · téléphone · télévision

Dans la salle de séjour, il y a une …………………… et une …………………… marron. Le …………………… est vert. Devant, il y a une …………………… jaune et le …………………… est rouge. Il y a aussi un …………………… noir sous une …………………… bleue. Le …………………… est jaune, bleu et rouge.

☐ **Écris ton blog ! Complète et coche les bonnes cases !**

Livre pages 78-79

Nom du blog :
....

Pseudo :
....

Date de création :
....

Dernière mise à jour :
....

Mes amis :
....
....
....
....
....

Mes blogs ou liens préférés :
....
....
....
....
....
....

Colle ici des photos de ta maison ou de ton appartement, et de ta chambre (réels ou imaginaires) !

Tu peux aussi utiliser des images de la fiche 15 du guide pédagogique !

Dans ma maison, mon appartement, il y a :

☐ une entrée
☐ une salle de séjour
☐ une cuisine
☐ .... salle(s) de bains
☐ .... chambre(s)
☐ un(e) ....
☐ un(e) ....

Nous avons aussi :

☐ un jardin
☐ un garage
☐ une piscine
☐ un parc
☐ un(e) ....
☐ un(e) ....

☐ J'ai une chambre à moi.
☐ Je n'ai pas de chambre à moi.

Dans la pièce où je dors, il y a :

☐ une armoire
☐ un bureau
☐ une commode
☐ .... lit(s)
☐ .... chaise(s)
☐ .... fauteuil(s)
☐ .... lampe(s)
☐ une table
☐ un ordinateur
☐ un tapis
☐ un(e) ....
☐ un(e) ....

Et toi ?

[Ajouter un commentaire] [... commentaires]

Posté le ... Modifié le ...

Portfolio Fais le point !

(Tu peux demander son aide à ton professeur !)

	☹	😐	☺
A1 Comprendre : Écouter			
Je peux comprendre des informations simples concernant les pièces d'une maison ou d'un appartement et son mobilier.			
Je peux comprendre une demande de permission. (*Je peux... ?*)			
Je peux comprendre des numéros de téléphone.			
A1 Comprendre : Lire			
Je peux lire et comprendre des informations simples concernant les pièces d'une maison ou d'un appartement et son mobilier.			
Je peux lire et comprendre une demande de permission. (*On peut... ?*)			
Je peux comprendre un petit message (courriel, carte postale, etc.) utilisant ces informations.			
A1 Parler : Prendre part à une conversation			
Je peux dire où j'habite (maison ou appartement).			
Je peux parler des pièces d'une maison ou d'un appartement.			
Je peux parler du mobilier ou des équipements d'une chambre.			
Je peux demander et exprimer une possibilité, une permission. (*Je peux... ? Elle peut...* .)			
Je peux exprimer le dégoût. (*Beurk !*)			
Je sais compter jusqu'à 100.			
Je peux donner un numéro de téléphone.			
Je peux indiquer une date.			
A1 Parler : S'exprimer en continu			
Je peux décrire les pièces de ma maison ou de mon appartement.			
Je peux décrire le mobilier ou les équipements de ma chambre, et ce que je peux y faire.			
A1 Écrire			
Je peux recopier sans erreur des mots ou des phrases simples utilisant des informations sur les pièces ou le mobilier d'une maison.			
Je peux écrire un petit message (courriel, carte postale, blog, etc.) utilisant ces mots et ces phrases.			
A1 Compétences culturelles			
Je peux comprendre et dire des numéros de téléphone « à la française ».			
Je peux comprendre des explications simples sur la vie à Paris ou en France dans le passé.			
Je peux aussi...			

Teste-toi !

Tu sais répondre à ces questions ? 6 points

1 Qu'est-ce qu'il y a dans une salle de séjour ?

....

2 Qu'est-ce qu'il y a dans une chambre ?

....

3 Qu'est-ce qu'il y a dans un garage ?

....

4 Qu'est-ce qu'on peut faire dans une salle de bains ?

....

5 Qu'est-ce qu'on peut faire dans une cuisine ?

....

6 Qu'est-ce qu'on peut faire dans un jardin ?

....

Écris les nombres ! 3 points

71 .... 81 .... 91 ....

Tu connais ces mots en français ? Écris-les avec *le*, *l'*, *la* ou *les* ! 21 points

Évalue ton travail !

Ton score : ... / 30

Mes sensations

Livre pages 84-85

1 Écris et relie !

J'ai...	~~chaud~~	faim	froid	peur	soif	sommeil
Je suis...	amoureux	fâché	fatigué	malade	stressé	triste

J'ai chaud. ....

....

....

....

....

....

....

....

....

....

....

2 Accord de l'adjectif → Regarde l'exemple et complète !

Exemple : Bonjour, Pauline ! Tu es (fatigué) *fatiguée* ?

1 – Non ! Et vous, Pierre et Hugo, vous êtes (fâché) .... ?
2 – Non, nous aussi nous sommes (fatigué) .... !
3 – Regardez Alice : elle est (malade) .... ?
4 – Non, elle est (triste) .... !
5 – Pourquoi ? Elle est (amoureux) .... ?
6 – Non, c'est l'école : elle est (stressé) .... !

3 Reconstitue les phrases !

~~On peut~~	en pirate !	Tu veux	Nous pouvons	je suis malade !	~~dans la maison de Milady ?~~	en bateau.
t'amuser	Je ne peux pas	se déguiser	traverser Paris	avec tes amis.	me lever :	Il veut ~~entrer~~

Exemple : On peut entrer dans la maison de Milady ?

1 ....
2 ....
3 ....
4 ....

1 Les adverbes *trop* et *pas assez* → Regarde l'exemple et complète !

Livre page 86

Tu... ~~es~~ ne fais es ne travailles bois ne dors regardes

Exemple : Tu es trop grand !

1 Tu .... !
2 .... !
3 .... !
4 .... !
5 .... !
6 .... !

2 Relie les mots aux parties du corps !

la tête les yeux le nez le bras la main la jambe

les oreilles le dos les dents la gorge (le cou) le ventre le pied

3 Complète avec *au, à la, à l'* ou *aux* !

J'ai mal .... tête. – J'ai mal .... pieds. – J'ai mal .... oreille. – J'ai mal .... ventre. – J'ai mal .... yeux. – J'ai mal .... gorge. – J'ai mal .... dos. – J'ai mal .... dents.

4 Complète avec [f] ou [v], c'est-à-dire avec « f », « ff », « ph » ou « v » ! Puis lis les phrases à voix haute !

Entraîne-toi bien !

– Tra...erser la ...ille à ...élo ? Non, j'ai ...roid et je suis ...atiguée !
– Dans la ...amille des ...ampires, il y a ...ingt ...illes et neu... ...ils.
– Pour le carna...al, je pré...ère porter ma ...este ...erte et ...iolette.
– ...ous a...ez ...aim ? ...oici des ...rites et du ...romage !
– ...endredi, j'ai .....ysique. Dans mes a.....aires, il y a un appareil ......oto.
– De no...embre à ...é...rier, les ...antômes ...ont la ...ête !

1 Réponds !

Livre page 87

1 Tu as un sac à dos (ou un cartable) ?

....

2 Combien de livres est-ce que tu portes ?

....

3 Qu'est-ce que tu portes aussi dans ton sac ?

....

4 Tu as une armoire ou un casier au collège ?

....

2 Entoure l'intrus !

1 dos – bras – pain – pied – jambe

2 triste – malade – fâché – préféré – fatigué

3 portable – couleur – baladeur – sac – livre

4 armoire – commode – table – canapé – entrée

5 sommeil – soif – noir – peur – froid

6 chapeau – gâteau – manteau – veste – gilet

3 Lis le dialogue et complète les conjugaisons !

À l'auberge du Colombier Rouge

MILADY : Bonjour, Cardinal ! J'ai soif : nous buvons du champagne ! Vous buvez avec moi ?

RICHELIEU : Euh... non, je ne bois pas. Ça n'est pas la fête aujourd'hui : on ne boit pas ! Les Anglais sont à La Rochelle, ils doivent partir !

MILADY : Je sais : ce sont nos ennemis.

RICHELIEU : Et Buckingham doit mourir : il est anglais et... il en sait trop. Milady, vous devez m'aider !

MILADY : Oui, Cardinal ! Mais Constance et d'Artagnan en savent trop eux aussi...

RICHELIEU : Très bien. Vous savez où ils sont ?

MILADY : Moi et mes espions, nous savons tout ! Mais je dois partir, vite !

RICHELIEU : Oui, nous devons nous dépêcher, Milady, au revoir !

savoir	devoir	boire
je	je	je ....
tu *sais*	tu *dois*	tu *bois*
il / elle / on	il / elle / on	il / elle / on ....
nous	nous	nous ....
vous	vous	vous ....
ils / elles	ils / elles	ils / elles *boivent*

☐ **Écris ton blog ! Coche les bonnes cases et complète !**

Livre pages 88-89

Nom du blog :
....

Pseudo :
....

Date de création :
....

Dernière mise à jour :
....

Mes amis :
....
....
....
....
....

Mes blogs ou liens préférés :
....
....
....
....
....
....

Colle ici des photos ou des portraits de toi quand tu vas bien, mais aussi quand tu es fatigué(e) ou malade !

Tu peux aussi utiliser les images de la fiche 16 du guide pédagogique !

Comment je vais ?

☐ Je vais bien.

Mais,

☐ parfois

ou

☐ souvent...

☐ je suis fatigué(e).
☐ je suis triste.
☐ je suis fâché(e).
☐ je suis stressé(e).
☐ je suis malade.
☐ ....
☐ j'ai sommeil.
☐ j'ai mal à la tête.
☐ j'ai mal aux yeux.
☐ j'ai mal à la gorge.
☐ j'ai mal aux oreilles.
☐ j'ai mal au dos.
☐ j'ai mal au ventre.
☐ ....

Pourquoi ?

☐ Je ne dors pas assez.
☐ Je regarde trop la télévision.
☐ J'écoute trop mon baladeur.
☐ Mon sac à dos est trop lourd.
☐ Je ne fais pas assez de sport.
☐ Je mange trop de chocolat, de chips ou de gâteaux.
☐ ....
☐ ....

Et toi ?

[Ajouter un commentaire] [... commentaires]

Posté le ... Modifié le ...

Portfolio

Fais le point !

(Tu peux demander son aide à ton professeur !)

	☹	😐	☺
A1 Comprendre : Écouter			
Je peux comprendre des informations simples concernant l'état général de quelqu'un.			
Je peux comprendre quelqu'un exprimer un sentiment, la tristesse, la peur, la colère.			
Je peux comprendre quelqu'un exprimer une sensation, une souffrance physique.			
A1 Comprendre : Lire			
Je peux lire et comprendre des informations simples concernant l'état général de quelqu'un.			
Je peux lire et comprendre l'expression de sentiments. (*Je suis triste*, etc.)			
Je peux lire et comprendre l'expression de sensations. (*J'ai froid*, etc.)			
Je peux comprendre un petit message (courriel, carte postale, etc.) utilisant ces informations.			
A1 Parler : Prendre part à une conversation			
Je peux demander à quelqu'un comment il va.			
Je peux dire à quelqu'un comment je vais.			
Je peux interroger sur un sentiment, la tristesse, la peur, la colère. (*Tu es triste ? Tu as peur ? Tu es fâché(e) ?* etc.)			
Je peux exprimer un sentiment, la tristesse, la peur, la colère. (*Je suis triste. J'ai peur. Je suis fâché(e)*, etc.)			
Je peux interroger sur une sensation, une souffrance physique. (*Tu as froid ? Tu as faim ?* etc.)			
Je peux exprimer une sensation, une souffrance physique. (*J'ai froid. J'ai faim*, etc.)			
A1 Parler : S'exprimer en continu			
Je peux parler de mes sentiments et de mes sensations.			
A1 Écrire			
Je peux recopier sans erreur des mots ou des phrases simples exprimant des sentiments ou des sensations.			
Je peux écrire un petit message (courriel, carte postale, blog, etc.) utilisant ces mots et ces phrases.			
A1 Compétences culturelles			
Je peux repérer les lieux où, en France, je pourrais trouver des soins ou des médicaments.			
Je peux aussi...			

Teste-toi !

Tu sais répondre à ces questions ? 12 points

1 Tu fais assez de sport ?

....

2 Tu en fais combien de fois par semaine ?

....

3 Tu ne regardes pas trop la télé(vision) ?

....

4 Tu la regardes combien d'heures par semaine ?

....

5 Tu dors assez ?

....

6 À quelle heure tu vas au lit ?

....

7 Ton sac à dos n'est pas trop lourd ?

....

8 Il pèse combien ?

....

9 Tu travailles assez au collège (à l'école, au lycée) ?

....

10 Tu travailles combien d'heures par semaine ?

....

11 Tu travailles assez en français ?

....

12 Tu as combien de points à cet exercice ?

....

Tu sais exprimer ces sensations et ces sentiments en français ? 18 points

Évalue ton travail !

Ton score : ... / 30

Dans la maison

Nomme les pièces de la maison et décris-les avec leur mobilier ! Utilise les prépositions *dans – sur – sous – devant – derrière – entre – à côté de – à droite (de) – à gauche (de)* !

Le jeu des sensations

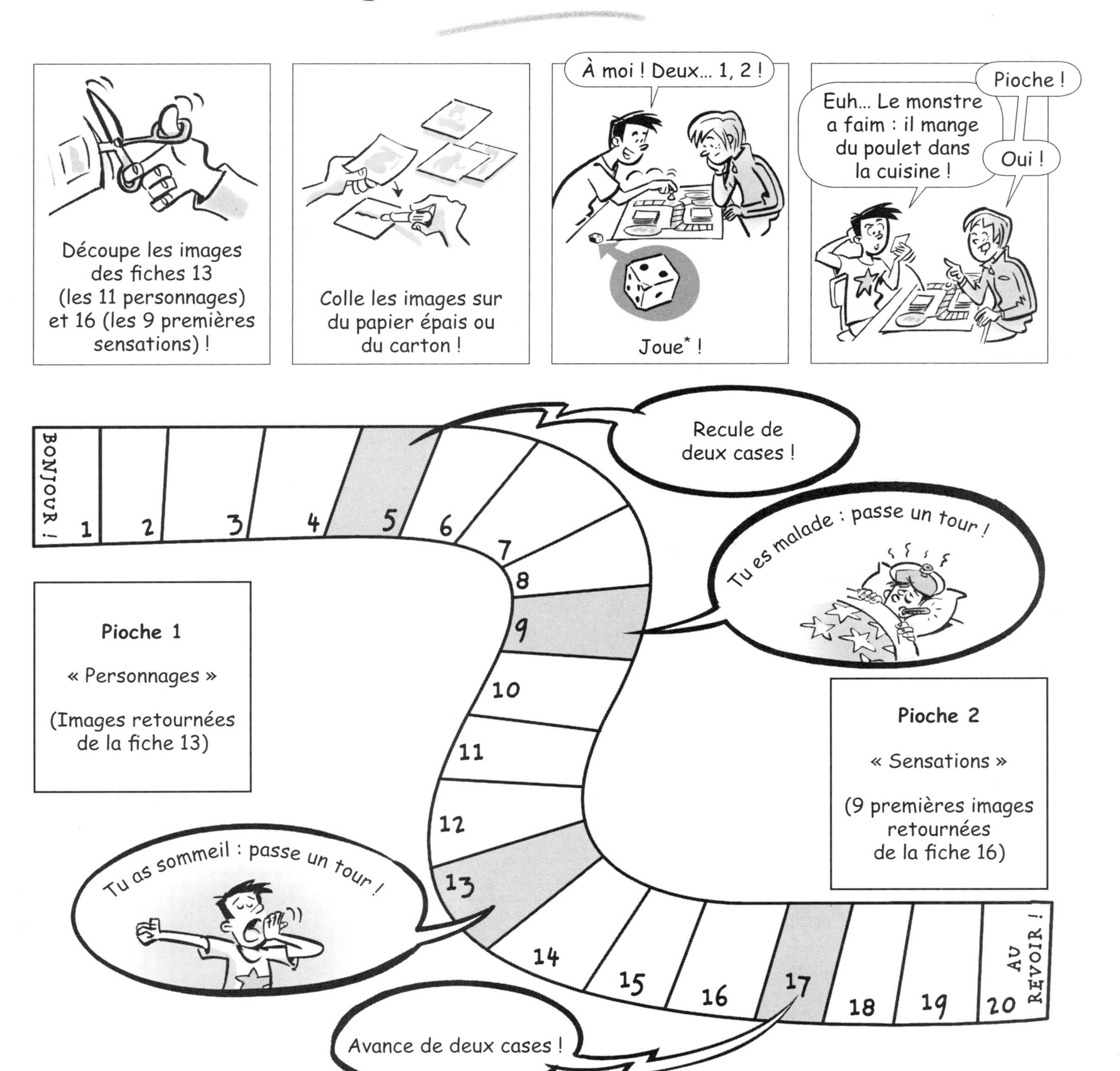

* **Règle du jeu :** Prévoir un pion par joueur et un dé par équipe. Chaque joueur lance le dé et avance son pion d'autant de cases qu'il a obtenu de points. Arrivé sur une case, il prend une carte dans la pioche 1 « Personnages » ET une carte dans la pioche 2 « Sensations ». Il doit former une phrase et dire, par exemple : « La sorcière a froid ! » ou « Le mousquetaire est stressé ! » Puis il doit lui proposer d'aller dans une pièce de la maison pour trouver un remède ou une solution. Exemples « La sorcière prend un bain dans la salle de bains ! » ou « Le mousquetaire prend sa planche à voile dans le garage ! » Chaque joueur parle sous le contrôle de l'autre ou des autres joueurs. Le vainqueur est celui qui arrive le premier sur la dernière case.

Mes repas

Livre pages 92-93

1 **Complète avec *du, de la* ou *des* et *un* ou *une* ! Puis relie !**

du beurre .... café .... céréales .... confiture .... lait .... thé

.... croissant .... œuf .... pain au chocolat .... tartine .... yaourt

2 **Décris ton petit déjeuner !**

Au petit déjeuner, je mange (du, de la, de l', un, une, des) ....

....

Je bois (du, de la, de l', un, une) ....

3 **Vrai (V) ou faux (F) ?**

Il y a beaucoup de **sucre** dans...

le nougat V | la confiture ☐ | le poisson ☐ | la crème caramel ☐

Il y a beaucoup de **matières grasses** dans...

le camembert ☐ | la tomate ☐ | les frites ☐ | le beurre ☐

Il y a beaucoup de **vitamines** dans...

les chips ☐ | l'orange ☐ | la banane ☐ | le melon ☐

Il y a beaucoup de **calcium** dans...

le lait ☐ | le fromage ☐ | le yaourt ☐ | le thé ☐

4 **Complète par *rien, peu, beaucoup, assez* ou *trop* !**

1 Moi, au petit déjeuner, je ne mange .... : je n'ai pas faim.
2 Mais je bois .... de jus d'orange : j'adore et c'est plein de vitamines !
3 Je bois aussi un .... de lait, pour le calcium.
4 Mon frère, lui, mange .... de confiture : tout ce sucre, beurk !
5 Il ne mange pas .... de fromage ou de lait.

1 Regarde l'exemple et écris !

Livre page 94

Exemple : 14:45 → **a** Il est quatorze heures quarante-cinq.
b Il est trois heures moins le quart.

15:35 **a** Il est quinze heures ……
b Il est quatre heures moins ……

15:50 **a** ……
b ……

16:15 **a** ……
b ……

16:30 **a** ……
b ……

2 Le verbe *venir* → Regarde et écris la conjugaison !

1 Ils ne viennent pas ? Il est huit heures !

2 Alors, vous venez ?

3 Oui, oui ! On vient !

4 Tu viens avec nous ?

5 Non, je ne viens pas...

Je ……
Tu ……
Il / elle / on ……
Nous venons
Vous ……
Ils / elles ……

3 Écris !

Exemple : Je vais à la gare à une heure et demie. 13:30

1 Je vais au …… 14:15

2 Je vais …… 15:45

3 Je …… 16:40

4 Je …… 18:30

1 **Complète avec *au petit déjeuner, à la récréation, au déjeuner, au goûter* et *au dîner* ! !** *Livre page 95*

1 À midi, à la maison, je mange souvent du poulet et des frites ....
2 Mais le soir, j'aime bien manger une pizza ou des œufs ....
3 À 4 heures et demie, ..., je mange un pain au chocolat !
4 Je me lève à 7 heures. ...., je prends du chocolat et des tartines.
5 À 10 heures, ..., je bois un coca et je mange un croissant.

2 **La négation *ne ... rien* → Regarde l'exemple et complète.**

Tu es triste et fâché(e) : tu n'as envie de rien !

Exemple : Tu prends une tartine ou un croissant ? Non merci, je **ne** prends **rien**.

1 Tu manges une pomme ou une banane ? – Non merci, je ne mange ....
2 Tu bois du lait ou du coca ? – Non merci, je ne ....
3 Tu prends un œuf ou du fromage ? – Non merci, je ....
4 Tu veux des rollers ou un baladeur? – Non merci, ...
5 Tu lis un livre ou une BD ? – Non ....

3 **Voici ton menu : écris 3 entrées, 3 plats, 3 desserts, 3 glaces et 3 boissons !**

Mon menu

Entrées et salades		Plats
....		....
....		....
....		....

Desserts	Glaces	Boissons
....	....	....
....	....	....
....	....	....

4 **Les sons [ɔ], [œ] et [ø] → Lis les phrases à voix haute, puis écris les mots dans la bonne colonne !**

La *couleur* de la *robe* et des *bottes* de ma *sœur* ? Elles sont *bleues*, comme tes *cheveux* !
Le *baladeur*, les *deux œufs*, le *bol* et le *beurre* sont sur la *commode*.

[ɔ]	[œ]	[ø]
robe, ...	couleur, ...	....
....	....	....

☐ **Écris ton blog ! Entoure, coche les bonnes cases et complète !**

Livre pages 96-97

Nom du blog :

....

Pseudo :

....

Date de création :

....

Dernière mise à jour :

....

Mes amis :

....

....

....

....

....

Mes blogs ou liens préférés :

....

....

....

....

....

....

Colle ici des images des plats que tu manges (ou que tu aimerais manger) et des boissons que tu bois (ou que tu aimerais boire).

Tu peux aussi utiliser les images des fiches 5, 6 et 17 !

Je prends
1 – 2 – 3 – 4 – ... – repas :

☐ un petit déjeuner
☐ un déjeuner
☐ un goûter
☐ un dîner
☐ ....

Au collège (à l'école, au lycée), pendant la récréation, je mange souvent

....

et je bois ....

☐ Je mange à la cantine.
☐ C'est très bon.
☐ C'est pas mal.
☐ Ça n'est pas bon.
☐ Je ne mange pas à la cantine.

Pour mon petit déjeuner, je mange souvent ....

....

et je bois ....

Pour mon déjeuner, je mange souvent

....

....

et je bois ....

Pour mon goûter, je mange souvent

....

et je bois ....

Pour mon dîner, je mange souvent

....

et je bois ....

Et toi ?

[Ajouter un commentaire] [... commentaires]

Posté le ... Modifié le ...

Portfolio Fais le point !

(Tu peux demander son aide à ton professeur !)

	☹	😐	☺
A1 Comprendre : Écouter			
Je peux comprendre des informations simples sur l'heure qu'il est.			
Je peux comprendre des informations simples sur les repas de la journée.			
Je peux comprendre une demande d'information sur la quantité. (*C'est beaucoup ? C'est trop ? Pas assez ?*)			
Je peux comprendre quelqu'un exprimer une invitation.			
A1 Comprendre : Lire			
Je peux lire et comprendre des informations simples sur l'heure qu'il est.			
Je peux lire et comprendre des informations simples sur les repas de la journée.			
Je peux lire et comprendre une information sur la quantité.			
Je peux lire et comprendre l'expression d'une invitation.			
Je peux comprendre un petit message (courriel, carte postale, etc.) utilisant ces informations.			
A1 Parler : Prendre part à une conversation			
Je peux donner des informations sur l'heure. (*À midi et demie.*)			
Je peux répondre à une demande d'information sur la quantité. (*C'est beaucoup. Oui, c'est trop. Non, ça n'est pas assez.*)			
Je peux inviter quelqu'un. (*Tu viens à... ?*)			
Je peux répondre à l'invitation de quelqu'un. (*Oui, je viens !*)			
A1 Parler : S'exprimer en continu			
Je peux parler à quelqu'un des repas que je prends et de l'heure à laquelle je les prends.			
Je peux expliquer à quelqu'un si mes repas sont équilibrés et pourquoi.			
Je peux passer une commande au restaurant.			
A1 Écrire			
Je peux recopier sans erreur des mots ou des phrases simples concernant l'heure qu'il est et les repas de la journée.			
Je peux écrire un petit message (courriel, carte postale, blog, etc.) utilisant ces mots et ces phrases.			
A1 Compétences culturelles			
Je peux parler des repas en France et à quelle heure on les prend.			
Je peux parler de la composition de ces repas (nombre de plats, etc.).			
Je peux aussi...			

Teste-toi !

Tu sais répondre à ces questions ? 12 points

1 Cite le nom des quatre « repas » en France !

....

....

....

....

2 Cite deux aliments avec beaucoup de sucre !

....

....

3 Cite quatre aliments avec beaucoup de vitamines !

....

....

....

....

4 Il est quelle heure ? *(Deux énoncés possibles.)*

....

....

Tu sais dire ces mots en français ? Écris-les avec *le*, *l'*, *la* ou *les* ! 18 points

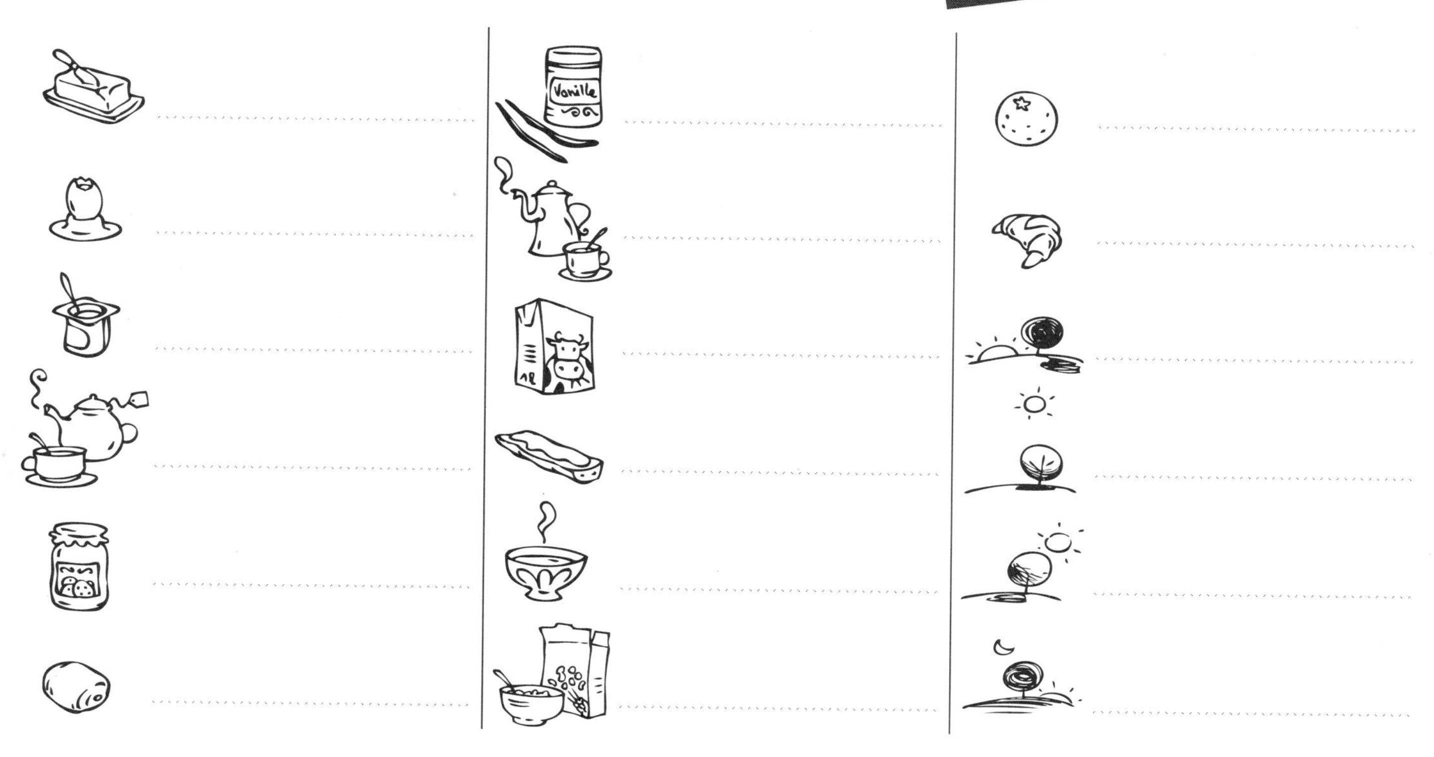

Évalue ton travail !

Ton score : ... / 30

La météo

Livre pages 100-101

1 Écris et relie !

~~Le soleil brille.~~	Il y a du vent.	Il y a des nuages.	Il y a de l'orage.
Il pleut.	Il neige.	Il fait chaud.	Il fait froid.

Le soleil brille. ....

....

....

....

....

....

....

....

2 Associe !

Il fait froid ! ▸ | ◂ Va jouer dans le jardin et mets tes lunettes de soleil !
Il fait chaud ! ▸ | ◂ Regarde les nuages courir dans le ciel !
Il neige ! ▸ | ◂ Bois un jus d'orange et va à la piscine !
Le soleil brille ! ▸ | ◂ Mets tes bottes et ton bonnet !
Il fait du vent ! ▸ | ◂ Mets ton pull et bois un chocolat chaud !

3 Choisis la phrase correcte !

Exemple : (Il neige.) / Il fait de la neige.

1 Il fait beau temps. / Le temps fait beau.

2 Il fait froid temps. / Il fait froid.

3 Il y a du chaud. / Il fait chaud.

4 Il pleut. / Il fait de la pluie.

5 Il fait mauvais. / Le temps fait mauvais.

6 Il y a soleil. / Il fait soleil.

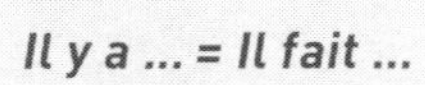

Il y a ... = Il fait ...

Il y a du soleil = Il fait (du) soleil.
Il y a du vent = Il fait du vent.
Il y a de l'orage = Il fait de l'orage.
Il fait beau = Il fait beau temps.
Il fait mauvais = Il fait mauvais temps.

4 Le son [j] → Complète avec *il, ill, hi* ou *y* ! Puis lis les phrases à voix haute !

Je me réve......e et je m'hab......e, mais j'ai somme...... .
Me voilà dans mon fauteu...... le baladeur dans les ore......es.
Je trava......e avec un stylo-b......e, un ta......e-cra......on, et un ca......er.
J'aime les ......aourts à la van......e !
Le sole...... br......e : attention aux ......eux !

1 Le futur proche → Regarde et écris !

Livre page 102

Aujourd'hui il fait chaud. — Demain il va ....

Aujourd'hui .... — Demain ....

Aujourd'hui .... — Demain ....

Aujourd'hui .... — Demain ....

2 Les adjectifs possessifs → Complète avec *notre, nos, votre, vos, leur* ou *leurs* !

« Notre livre est presque fini. Il y a .... dessins, ... photos et .... musique. C'est l'histoire des *Trois Mousquetaires* : mais .... histoire est trop triste. Nous allons changer .... aventures et y mettre .... idées ! Cela va être .... livre de français, avec .... projets. Super ! »

3 Écris et envoie un message à un(e) correspondant(e) ou un(e) camarade !

De :
À :

Bonjour .... !

Chez moi... dans mon pays, dans ma ville,

- ☐ il va pleuvoir.
- ☐ il va faire beau.
- ☐ il va faire chaud.
- ☐ il va faire froid.
- ☐ il va neiger.
- ☐ il va y avoir du vent.
- ☐ il va y avoir de l'orage.

il va ....

Je vais ....

et aussi .... J'adore !

Au revoir !

....

Regarde mes photos et choisis parmi les locutions dans le livre page 103 !

1 Regarde et écris !

Livre page 103

1 ....

....

2 ....

....

3 ....

....

2 La négation *ne … plus* → Regarde les exemples et complète !

Exemples : Il pleut encore ? → *Non, il ne pleut plus.* – Il fait encore chaud ? → *Non, il ne fait plus chaud.*

1 Tu dors encore ? → Non, je ....
2 Tu as encore faim ? → Non, je ....
3 Tu es encore fâché ? → Non, je ....
4 Tu as encore sommeil ? → Non, je ....
5 Il fait encore froid ? → Non, il ....

3 Complète avec *de, du, d', de la, de l'* ou *des* !

Regarde aussi dans le livre page 99 !

– Il y a .... pluie, ... nuages et .... vent : il fait un temps .... chien ! – Oui, il y a beaucoup .... nuages et un peu .... vent : il va y avoir .... orage. – Moi, j'aime quand il y a .... soleil. Trop .... soleil, c'est mauvais ; mais pas assez .... eau, ça ne va pas non plus !

4 BD Unité 12 → Complète les questions avec *comment, où, quand, qu'est-ce que* ou *qui* ! Réponds vrai (V) ou faux (F) ! Si c'est faux, corrige !

1 .... est Milady ? Chez Lord de Winter ? ☐ ....
2 .... est Lord de Winter ? Le père de Milady ? ☐ ....
3 .... Milady va sortir de là ? Avec Felton ? ☐ ....
4 .... Milady veut faire ? Partir à La Rochelle ? ☐ ....
5 .... vient le soleil ? Après la neige ? ☐ ....

☐ **Écris ton blog ! Coche les bonnes cases et complète !**

Livre pages 104-105

Nom du blog :
....

Pseudo :
....

Date de création :
....

Dernière mise à jour :
....

Mes amis :
....
....
....
....
....

Mes blogs ou liens préférés :
....
....
....
....
....
....

Colle ici des images de la « météo » que tu préfères !

Tu peux aussi utiliser des images de la fiche 18 du guide pédagogique !

Dans mon pays,
- ☐ il fait souvent beau.
- ☐ il fait souvent chaud.
- ☐ il fait souvent froid.
- ☐ il fait souvent mauvais.
- ☐ ....

Aujourd'hui,
- ☐ il y a du vent.
- ☐ il y a des nuages.
- ☐ il y a de l'orage.
- ☐ il pleut.
- ☐ il neige.
- ☐ le soleil brille.
- ☐ il fait lourd.
- ☐ ....

- ☐ J'aime bien marcher sous la pluie.
- ☐ J'aime bien marcher dans le vent.
- ☐ J'aime bien le soleil.
- ☐ J'aime bien la neige.
- ☐ ....
- ☐ Je déteste marcher sous la pluie.
- ☐ Je déteste marcher dans le vent.
- ☐ Je déteste le soleil.
- ☐ Je déteste la neige.
- ☐ ....
- ☐ Je n'ai pas peur des orages.
- ☐ J'ai peur des orages.
- ☐ J'ai peur aussi des ....
....

Et toi ?

[Ajouter un commentaire] [... commentaires]

Posté le ... Modifié le ...

Portfolio

Fais le point !

(Tu peux demander son aide à ton professeur !)

	☹	😐	☺
A1 Comprendre : Écouter			
Je peux comprendre des informations simples sur le temps qu'il fait.			
Je peux comprendre l'expression d'une action dans un futur proche.			
Je peux comprendre quelqu'un exprimer une surprise.			
A1 Comprendre : Lire			
Je peux lire et comprendre des informations simples sur le temps qu'il fait.			
Je peux lire et comprendre l'expression d'une action dans un futur proche.			
Je peux lire et comprendre l'expression d'une surprise.			
Je peux comprendre un petit message (courriel, carte postale, etc.) utilisant ces informations.			
A1 Parler : Prendre part à une conversation			
Je peux demander à quelqu'un des informations sur le temps qu'il fait.			
Je peux répondre à une demande d'information sur le temps qu'il fait.			
Je peux exprimer une surprise. (*Tiens ?*)			
Je peux saluer quelqu'un le soir. (*Bonsoir !*)			
A1 Parler : S'exprimer en continu			
Je peux parler à quelqu'un du temps qu'il fait dans mon pays, ma région ou ma ville.			
Je peux parler d'une action dans un futur proche.			
A1 Écrire			
Je peux recopier sans erreur des mots ou des phrases simples concernant le temps qu'il fait.			
Je peux écrire un petit message (courriel, carte postale, blog, etc.) utilisant ces mots et ces phrases.			
A1 Compétences culturelles			
Je connais des locutions ou des proverbes typiques de la langue française.			
Je peux aussi...			

Teste-toi !

Écris les locutions correspondantes ! 10 points

1 Le temps est très mauvais =

....

2 Cela m'est égal =

....

3 On est fâchés =

....

4 Cela me fait peur =

....

5 Après la tristesse vient la joie =

....

Tu sais écrire ces énoncés en français ? 20 points

....

....

....

....

....

....

....

....

....

....

Évalue ton travail !

Ton score : ... / 30

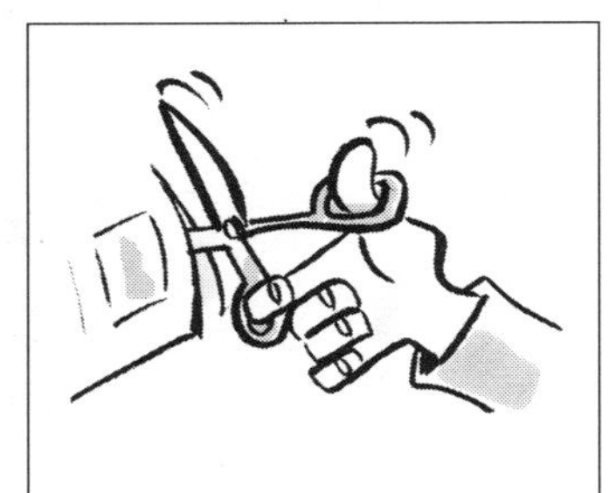

Découpe les images des fiches 5, 6 et 17 !

Colle les images sur du papier épais ou du carton !

Joue* !

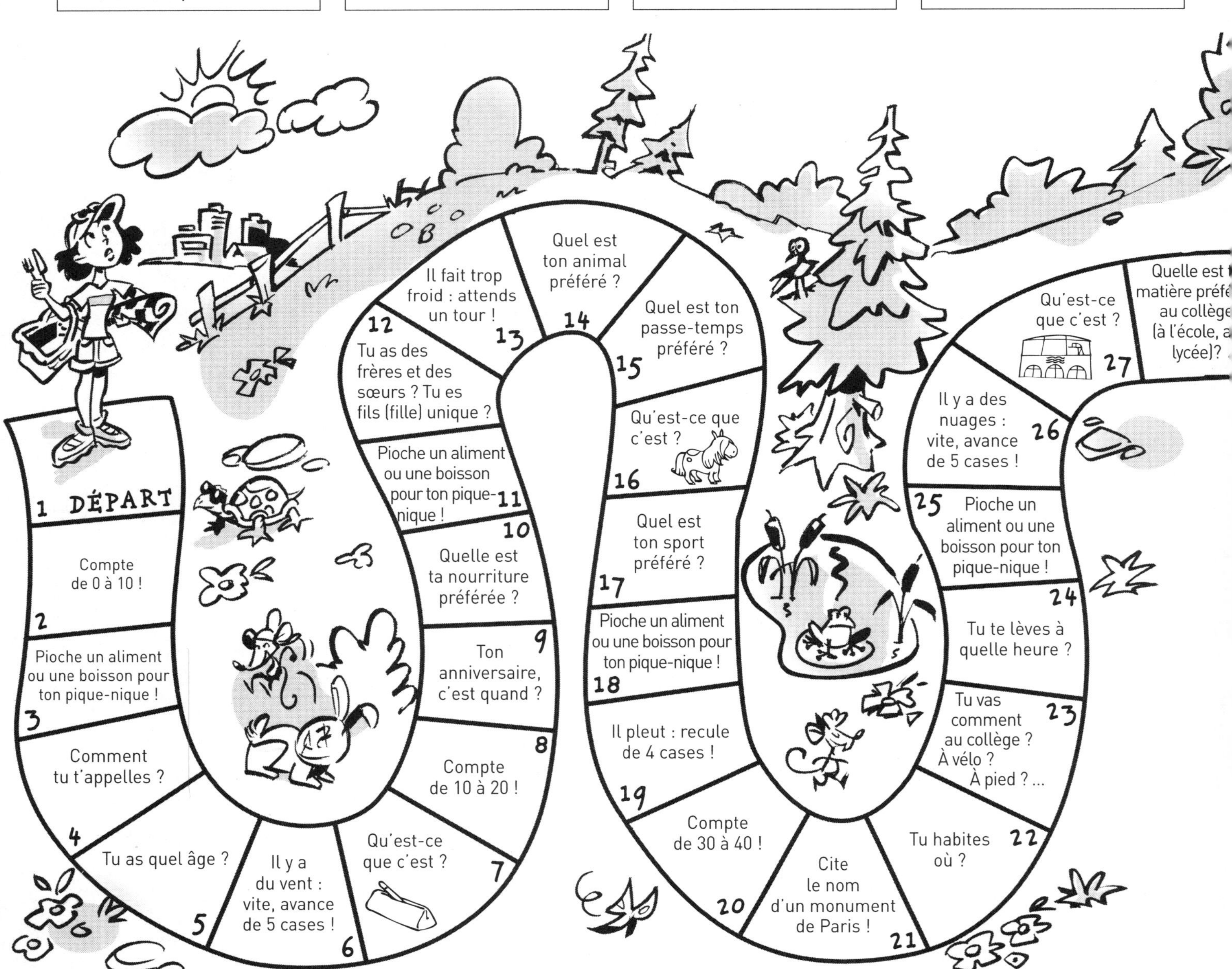

Pioche

« Aliments et boissons »

(Images retournées des fiches 5, 6 et 17)

* **Règle du jeu :** Prévoir un pion par joueur et un dé par équipe. Chaque joueur lance le dé et avance son pion d'autant de cases qu'il a obtenu de points. Arrivé sur une case, il doit répondre à la question sous le contrôle de l'autre ou des autres joueurs, réaliser ce qui lui est demandé ou citer le nom de l'aliment ou de la boisson qu'il « pioche ». Le vainqueur est celui qui arrive le premier sur la dernière case. À la fin du jeu, chaque joueur dit tout ce qu'il a « pioché » pour son pique-nique !

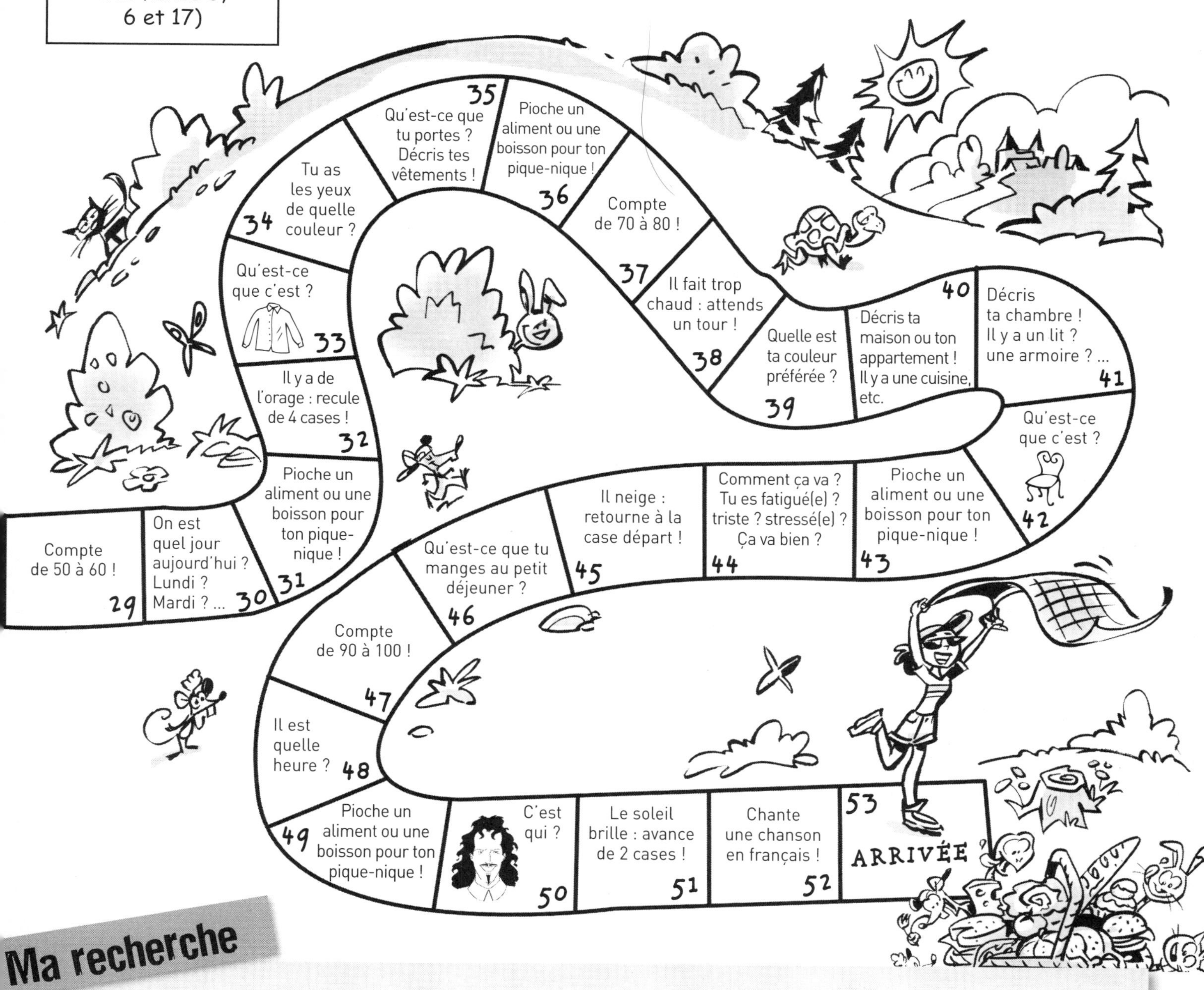

Ma recherche

Fais une recherche sur le temps qu'il fait en France ! Utilise par exemple le site Météo France : http://www.meteofrance.com/FR/index.jsp. Regarde et note le temps qu'il fait pendant quelques jours ou quelques semaines.

Tu peux aller aussi sur le site http://fr.wikipedia.org/wiki/Climat_de_la_France pour avoir plus d'informations sur le climat de la France.

Les expressions « climat océanique », « climat continental », « climat méditerranéen » ou « climat montagnard » définissent les différents climats de la France. Tu saurais les expliquer dans ta langue maternelle ? Montre sur la carte de France (au début du livre) les régions concernées !

Corrigés des tests

Unité 1 Page 11

Tu sais répondre à ces questions ? 5 points

1 Bonjour, ça va ?
Oui, ça va. (Oui, ça va bien. Non, ça ne va pas. Non, ça va mal.)

2 Comment tu t'appelles ?
Je m'appelle … .

3 Comment ça s'écrit ?
Ça s'écrit … .

4 C'est qui ? (Qui est-ce ?)
C'est d'Artagnan.

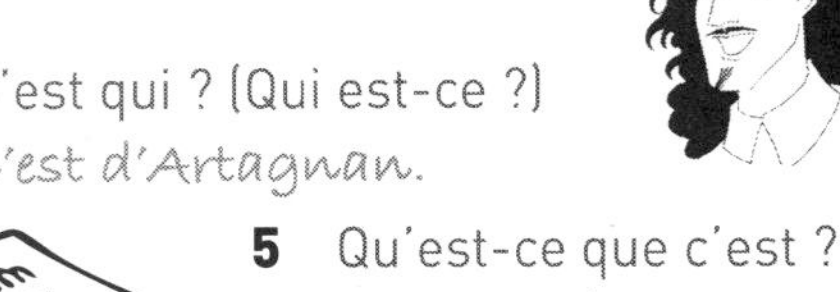

5 Qu'est-ce que c'est ?
C'est un livre.

Tu sais poser les questions correspondantes ? 2 points

1 *C'est un sac ?*
Oui, c'est un sac.

2 *C'est Milady (Anne d'Autriche, etc.) ?*
Non, c'est Constance.

Écris les nombres de 1 à 20 ! 21 points

1 *un*
2 *deux*
3 *trois*
4 *quatre*
5 *cinq*
6 *six*
7 *sept*
8 *huit*
9 *neuf*
10 *dix*
11 *onze*
12 *douze*
13 *treize*
14 *quatorze*
15 *quinze*
16 *seize*
17 *dix-sept*
18 *dix-huit*
19 *dix-neuf*
20 *vingt*
et… 0 ? *zéro*

Unité 2 Page 17

Tu sais répondre à ces questions ? 5 points

1 Tu as quel âge ?
J'ai … ans.

2 Ton anniversaire, c'est quand ?
C'est le (nombre) + (mois).
(Attention ! 1 = premier !)

3 Tu as un frère, une sœur ?
Oui, j'ai un(e) … . (Non, je n'ai pas de … .)

4 Tu as un animal ?
Oui, j'ai un(e) … . (Non, je n'ai pas de … .)

5 Si oui, qu'est-ce que c'est ?
C'est un …, c'est une … .

Écris les nombres de 21 à 32 ! 10 points

21 *vingt et un*
22 *vingt-deux*
23 *vingt-trois*
24 *vingt-quatre*
25 *vingt-cinq*
26 *vingt-six*
27 *vingt-sept*
28 *vingt-huit*
29 *vingt-neuf*
30 *trente*
31 *trente et un*
32 *trente-deux*

Unité 3 Page 25

Tu sais répondre à ces questions ? 6 points

1 Qu'est-ce que tu aimes ?
J'aime le (l', la, les) … .

2 Qu'est-ce que tu n'aimes pas ?
Je n'aime pas le (l', la, les) … .

3 Qu'est-ce que tu adores ?
J'adore le (l', la, les) … .

4 Qu'est-ce que tu détestes ?
Je déteste le (l', la, les) … .

5 Qu'est-ce qu'il y a à manger pour ta fête d'anniversaire ?
Il y a du (de l', de la, des) … .

6 Qu'est-ce qu'il y a à boire ?
Il y a du (de l', de la, des) … .

Unité 4 Page 31

Tu sais répondre à ces questions ? 6 points

1 Quel est ton animal préféré ?
C'est le (la) … .

2 Quelle est ta nourriture préférée ?
C'est le (la) … . (Ce sont les … .)

3 Quel est ton passe-temps préféré ?
verbe à l'infinitif ou *faire du (de la) …* ou *jouer au (à la, aux) …, etc.*

4 Quel est ton sport préféré ?
Le (la, les) + nom du sport.

5 Qu'est-ce que tu n'aimes pas faire ?
Je n'aime pas (+ verbe à l'infinitif).

6 Qu'est-ce que tu détestes faire ?
Je déteste (+ verbe à l'infinitif).

Unité 5 Page 39

Tu sais poser les questions correspondantes ? 6 points

1 *Tu habites où ? (Où habites-tu ? Où est-ce que tu habites ?)*
J'habite à Paris.

2 *Où est le musée ?*
Le musée est à côté du jardin du Luxembourg.

3 *Comment tu vas au collège ?*
Je vais au collège à vélo.

4 *Tu préfères le vélo (le bateau, le métro, le roller, la voiture, le taxi…) ou le bus ?*
Je préfère le bus.

5 *Qu'est-ce que tu regardes ? (Que regardes-tu ? Tu regardes quoi ?)*
Je regarde le bateau-mouche sur la Seine.

6 *Qu'est-ce qu'il y a dans ta ville ?*
Dans ma ville, il y a un zoo.

Unité 6 Page 45

Tu sais répondre à ces questions ? 12 points

1 Comment s'appelle ton collège (ton école, ton lycée) ? Tu es dans quelle classe ?
Mon collège s'appelle … .
Je suis dans la classe … .

2 Quels sont tes professeurs préférés ?
Madame (Monsieur) … : c'est mon professeur de … .

3 Quels sports tu peux faire dans ton collège ?
Je peux faire du (de l', de la, des) … .

4 Tu aimes les récréations ? Oui ? Non ? Pourquoi ?
Oui ! Je peux jouer, écouter de la musique, manger des chips, parler avec mes amis, etc.
Non ! Je déteste jouer. Je préfère travailler !

5 Dans ta classe, tu fais du cinéma, du théâtre, de la musique ? Oui ? Non ? Explique !
Oui, je fais du (de la) … . Non, je ne fais pas de … .

6 Tu aimes bien ton collège ? Oui ? Non ? Pourquoi ?
Oui ! Mes amis, mes professeurs sont super ! etc.
Non ! Je n'ai pas d'amis. Mes professeurs sont nuls ! etc.

Corrigés des tests

Unité 7 Page 51

Tu sais poser les questions correspondantes ? 12 points

1 *Tu as les yeux de quelle couleur ?*
J'ai les yeux noirs.

2 *Elle a les cheveux de quelle couleur ?*
Elle a les cheveux bruns.

3 *Combien de jambes a le monstre ?*
Le monstre a six jambes.

4 *Quel est ton portrait préféré ?*
Mon portrait préféré c'est le portrait de Picasso !

Unité 8 Page 59

Tu sais répondre à ces questions ? 12 points

1 C'est quand la fête nationale en France ?
(En France, la fête nationale) c'est le 14 Juillet.

2 Qu'est-ce qu'on souhaite à ses amis pour la fête de Noël ?
On souhaite un « Joyeux Noël ».

3 Qu'est-ce qu'on souhaite à ses amis pour le Jour de l'an ?
On souhaite une « Bonne année ».

4 Qu'est-ce qu'on mange pour la fête des Rois ?
On mange la « galette des Rois ».

5 Comment on fête le carnaval ?
On se déguise, on s'amuse et on danse.

6 Quelles sont les couleurs du drapeau français ?
Les couleurs du drapeau français sont le bleu, le blanc et le rouge.

Unité 9 Page 69

Tu sais répondre à ces questions ? 6 points

1 Qu'est-ce qu'il y a dans une salle de séjour ?
Dans une salle de séjour, il y a une table, des chaises, des fauteuils, un canapé, une lampe, une télévision, etc.

2 Qu'est-ce qu'il y a dans une chambre ?
Dans une chambre, il y a un lit, une armoire, une commode, un bureau, une lampe, un ordinateur, etc.

3 Qu'est-ce qu'il y a dans un garage ?
Dans un garage, il y a une voiture, un vélo, une moto, une planche à voile, des rollers, des bottes, etc.

4 Qu'est-ce qu'on peut faire dans une salle de bains ?
On peut se laver, prendre un bain, se brosser les dents, se brosser les cheveux, s'habiller, etc.

5 Qu'est-ce qu'on peut faire dans une cuisine ?
On peut faire la cuisine, manger, boire, prendre son petit déjeuner, prendre son déjeuner, goûter ou prendre son dîner, etc.

6 Qu'est-ce qu'on peut faire dans un jardin ?
On peut jouer, s'amuser, faire du sport, dormir, travailler, écouter de la musique, faire des photos, boire et manger, etc.

Écris les nombres ! 3 points

71 *soixante et onze* **81** *quatre-vingt-un* **91** *quatre-vingt-onze*

Unité 10 Page 75

Tu sais répondre à ces questions ? 12 points

1 Tu fais assez de sport ?
Oui, je fais assez de sport.
(Non, je ne fais pas assez de sport.)

2 Tu en fais combien de fois par semaine ?
Je fais du sport une (deux, trois, etc.) fois par semaine.

3 Tu ne regardes pas trop la télé(vision) ?
Non, je ne regarde pas trop la télévision.
(Si, je regarde trop la télévision.)

4 Tu la regardes combien d'heures par semaine ?
Je regarde la télévision une (deux, quatre, huit, dix, etc.) heures par semaine.

5 Tu dors assez ?
Oui, je dors assez.
(Non, je ne dors pas assez.)

6 À quelle heure tu vas au lit ?
Je vais au lit à 9 (10, 11, etc.) heures.

7 Ton sac à dos n'est pas trop lourd ?
Non, mon sac à dos n'est pas trop lourd.
(Si, mon sac à dos est trop lourd.)

8 Il pèse combien ?
Il pèse 3 (4, 5, etc.) kilos.

9 Tu travailles assez au collège (à l'école, au lycée) ?
Oui, je travaille assez au collège.
(Non, je ne travaille pas assez au collège.)

10 Tu travailles combien d'heures par semaine ?
Au collège, je travaille 20, (22, 24, 26, 28, etc.) heures par semaine.
Et à la maison, je travaille 2 (4, 6, 8, etc.) heures par semaine.

11 Tu travailles assez en français ?
Oui, je travaille assez en français.
(Non, je ne travaille pas assez en français.)

12 Tu as combien de points à cet exercice ?
J'ai 12 (10, 8, 6, etc.) points !

Unité 11 Page 83

Tu sais répondre à ces questions ? 12 points

1 Cite le nom des quatre « repas » en France !
le petit déjeuner, le déjeuner, le goûter, le dîner.

2 Cite deux aliments avec beaucoup de sucre !
la confiture, le chocolat, la crème caramel, le pain au chocolat, le gâteau, le nougat, etc.

3 Cite quatre aliments avec beaucoup de vitamines !
la banane, les céréales, le jus d'orange, le lait, l'œuf, le melon, l'orange, la pomme, le yaourt, etc.

4 Il est quelle heure ? (Deux énoncés possibles.)
Il est midi.
Il est minuit.

Unité 12 Page 89

Écris les locutions correspondantes ! 10 points

1 Le temps est très mauvais =
Il fait un temps de chien.

2 Cela m'est égal =
Cela ne me fait ni chaud ni froid.

3 On est fâchés =
Il y a de l'orage dans l'air.

4 Cela me fait peur =
Cela me fait froid dans le dos.

5 Après la tristesse vient la joie =
Après la pluie, le beau temps !

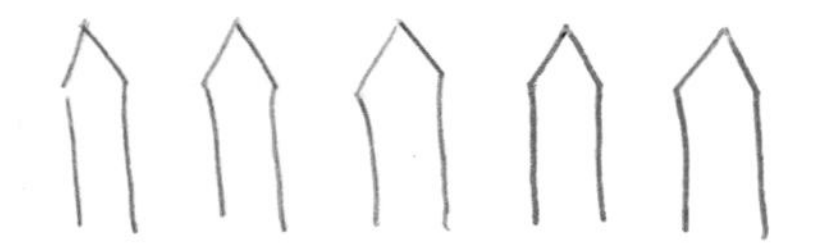

Crédits photographiques

Page 19 g ht : Versailles, château et Trianon-Ph. © AKG ; g m : Paris, musée du Louvre-Ph. © Erich Lessing/AKG ; g b : château de Versailles-Ph. © Bridgeman-Giraudon ; m : Ph. © coll. BCA/rue des Archives ; d h : Ph. © Bureau L.A. coll./Corbis ; d b : Titeuf, t. 9, par Zep © éd. Giènat-2002
Page 26 © Jean-Pierre Delagarde
Page 34 g ht : Ph. © Cyril Delettre/Rea ; m ht : Ph. © J.F. Fourmond/Urba Images Server ; d ht : Ph. © Jarry-Tripleton/Top/Eyedea ; g b : Ph. © Émile Luider/Rapho/Eyedea ; m b : Ph. © Richard Kalvar/Magnum Photos ; d b : Ph. © Fred Thomas/Hoa-Qui/Eyedea
Page 66 © C. Samson
Page 86 g : Ph. © Dimitir Vervits/Photonica/Getty Images ; m : Ph. © Michaïl Yamashita/Rapho/Eyedea ; d : Ph. © Wojtek Buss/Hoa-Qui/Eyedea

Édition : Christine Ligonie
Couverture : Graphir
Maquette : Pierre Cavaciuti
Adaptation et mise en pages : Laure Gros
Illustrations : Thierry Beaudenon, Xavier Husson, Isabelle Rifaux
Recherche iconographique : Laure Bacchetta
Dépôt légal : Février 2014
Achevé d'imprimer en Italie par Grafica Veneta - Trebaseleghe - N° de project : 10203776